「あたりまえ」を疑う社会学

質的調査のセンス

好井裕明

光文社新書

目次

はじめに

他者との関係のありようを読み解く営み

いま、社会学という営みに注目が集まっている。

たとえば、内田隆三さんの『社会学を学ぶ』（ちくま新書、二〇〇五）のように、社会理論や現代思想の抽象的な理念や概念を駆使し、社会の本質を鋭く論じる作品がある。山田昌弘さんの一連の家族社会学の作品、佐藤俊樹さんの『不平等社会日本』（中公新書、二〇〇〇）のように、時代の先端にある問題や社会現象を大胆に読み切って、そこに孕《はら》まれた本質的な問題をえぐりだす作品がある。

三浦展さんの『下流社会』（光文社新書、二〇〇五）のように、多様な統計的資料、量的調査結果などを駆使し、現代社会の特徴を分析し、いま私たちがどこにいるのか、どのような場所で、どのような生活の層で暮らしているのかを明快に説明してくれる作品がある。いずれも社会学という学問領域での重要な作業である。

私が興味深いのは、じっくりと読み込もうとすれば、決して簡単な内容ではないはずなのに、こうした社会学の作品が、多くの人に買われ、読まれていることだ。

なぜだろうか。

常識では理解できない不条理な犯罪が毎日のようにマスコミで報道され、テレビのワイドショーでとりあげられる。そこには、心理学、精神分析の専門用語を使い、こうした理解不能な現象をわかりやすく説明する評論家たちが登場する。常識で理解不能な犯罪を犯す人たちは、どこか自分たちとは違っている――こういう一般的な解釈に、心理学や精神分析の言葉が活用されていくのである。

でも、こういう説明に、人々は本当に納得しているのだろうか。評論家たちの説明を聞くことで、自らの日常の暮らしは、安定していくのだろうか。

マスメディアに充満する心理学や精神分析の言葉は、理解不能な他者を多くの人の日常から「切り出し」「外へ遠ざける」役割を果たしているようだ。

もちろん私は、心理学や精神分析という学問が、そのような役割を果たすものだとは思っていない。マスメディアで語られるそうした言葉が、結果として私たちの日常に与える効果のことを語っているのである。

もう一度繰り返そう。例外的な他者をつくり、それを自らの暮らしから排除することで、私たちの気持ちや暮らしは安定するのだろうか。

おそらくそうではないだろう。常識を超えたできごとが毎日のようにおこる現在、私たちは、以前にもまして、他者との出会い、他者との交流、他者との繋がりを求めているのではないだろうか。

個人の心理や精神のありようを調べ、自分とどう異質でどう一致するのかを明らかにするのではなく、普段の暮らしの中で、自分は他者とどう関係しているのか、他者とどう繋がれなくなっているのかを明らかにしたい、他者との関係の中での自分の位置、自分の場所を知りたいと思っているのではないだろうか。

個人的な心理・精神の束として自分を考えるのではない。身近な親しい存在から始まり、はてなく続いていく無数の匿名の他者との繋がりの束として、自分を考えたいのではないだろうか。

社会学は、こうした他者と自分との繋がり、関係のありようを読み解いていく営みである。

だからこそ、いま、社会学の作品が読まれているのではないだろうか。

世の中を調べること——生きられた経験と出会う

本書は、社会学における社会調査、特に質的なフィールドワークをめぐるものである。ただ、社会調査論の教科書などに見られるような、技法や方法論、倫理などを一般的に説明するものではない。

これまでの私自身の質的なフィールドワークの経験や、多くの優れた調査結果を語る作品を読んだ印象や思いを中心に、「世の中を質的に調べる」うえで、基本であり大切だと考えるセンスについて、好きに語ったものである。

世の中を質的に調べようとするとき、私はなんとかして〝生きられた経験〟〝生きられた語り〟に出会いたいと思う。

この〝生きられた〟という言葉には、調べようとする者が、どこに立とうとするのかについて、明快な主張が含まれている。それは、人々が生きている現実を調べようとするとき、外から概念や考えを持ってきて現実にあてはめ、一般的にこうだ、というような説明をできるだけしないという主張である。

普通、社会学的な調査研究では、使用する概念を設定し、定義を明らかにし、論理的に現象を説明しようとする。たとえば、医療を調べようとするとき、病院、医師、看護師など医療に関連する概念を整理し、定義したうえで、調査目的を明確にして質問紙調査などを行う。そこでは研究者は、社会学という学問世界に根をおろし、いわば医療という世界を上空から俯瞰《ふかん》していることになる。研究者自身の存在や常識、価値観などは基本的に守られ、調査する営みをとおして危うくなることはない。いわば社会学という科学を実践する存在であり、それを貫きとおすわけである。

一方、〝生きられた経験〟や〝生きられた語り〟と出会いたいと思うとき、調べる者は、できるだけ、対象となる人々が生き、働いている現実へ近づき、降り立とうとする。もちろん完全に降り立つことなどできないだろうし、近づくことさえ困難なときもある。たとえば医療を調べようとするとき、医師や看護師と出会おうとする。医療現場にはいりこもうとする。そして、そこで語られている言葉や考え方、感じ方などから、医療の現実を読み解こうとする。

既成の概念を使うのではない。医師が自分の仕事をどのように語るのか。「医師であること」「医師をすること」を、日常、医師自らがどのように考え、感じているのかを語る言葉から考えていく。

医師がどのようにして医師を〝生きている〟のか。医療の現場で、医師の日常のなかで、語られ、使われている言葉や考え、価値、情緒などを取り出そうとするのである。

このとき、研究者は社会学という学問世界に安住することはできないだろう。後で述べるが、相手という他者と出会い、語り合うとき、研究者自身ももう一人の他者である。相手の語りを聞こうとする自分の常識や考え、価値のありようもまた、調査する現場のなかで〝生きられた〟データとなる。相手との相互行為のなかで、研究者もまた、さまざまに変貌していく可能性をもつのである。

世の中を質的に調べるセンス

なぜこんな本を書きたいと思ったのだろうか。それについて少しだけ述べておこう。

いま、社会学では社会調査士という資格制度が進められている。大学で社会学を専攻し、社会を量的、質的に調査できる能力と、社会調査の文献を正確に理解できる能力が身についたことを証明する資格だ。その人の能力の証拠として資格が優先される今、こうした制度は必要なのかもしれない。

ただ、資格を取得するためのカリキュラムについて、端的に不満なところがある。計量的な分析に関する科目は充実しているのだが、質的な調査に関する科目がまだまだという印象を受けるからだ。

計量的な調査技法は基本的に誰もが学ぶことができるし、一般的な知識として習得し、使用することができる。それに対して、質的と呼ばれる調査の仕方については、質的であるがゆえに、なかなか一般的には論じにくいものがあるだろう。

「私は、社会調査士の資格制度は必要だと思う。でも今のような形であれば、批判する。なぜなら調査実習は必修でしょう――とすれば、何をどのように調査したいかという考えももたずに、あるいは調査することの意義やそれが相手におよぼす結果なんかまったく気にせずに、ただ資格が欲しいから実習にでかける学生もでてくるはずだ。これは明らかに調査公害であり、対象となる人々にとって、迷惑以外の何ものでもないだろう。

質問紙を作り、サンプルを選び、対象者に郵送するような統計的調査なら、そうした迷惑はまだ少ないかもしれない。でも社会学の調査は、そうしたことだけではない。直接相手に会って、聞き取りを行うなど、さまざまな質的と呼ばれる営みがある。その営みの意味をきちんと伝えるような、社会調査の基本に関わる質的な部分をもっと充実していかないと、やはりねぇ……」

親しい社会学の友人の言葉である。私もまったく同感なのだ。

たとえば、調査実習をする気のない学生を、むりやり調査に出したくないと思う。

なぜなら、大学の講義やゼミでもよく話すが、社会を調査するということは、どれほどその営みを正当化する理屈をこねようとも、「人の家に土足であがりこむ」ことになるのだから。そのうえで、だからそうした営みをしてはならないということにはならない、調査するという営みなしに、社会学は成立しないからだ、と話を続けていく。

では、どうしたらいいのだろうか。

靴についた土をきれいにはらってからあがりこむ。いや、まず靴を脱いでからあがりこむ。いや、靴を脱いで、あがっていいかと確認してからあがりこむ。いや、とりあえず家の人の都合をうかがって、あがってもいいときを確認する。

これらは、調べる営みの技法に関わるものであり、もちろん大切なことだが、私がどうしても気になるのは、次の点だ。

量的にせよ質的にせよ、世の中を調べようとするときには、その根底に、日常を生きている人間が何をどのように調べようかと発想し、さまざまな違いを生きている人間を調べるという営みがある。すなわち、調べる私も含めた他者が普段から暮らしている日常への〝まなざし〟が基本にある。

そして〝まなざし〟をどこへどのように向けるのかについては、調査する技法、方法、装置などの議論だけでは、とうてい説明できないのだ。それは、社会を調査する際に守るべき倫理という次元の話だけでもない。

以前、私が勤めていた広島国際学院大学現代社会学部には、学部創設時から一つの明快なポリシーがある。それは社会学の「リサーチ・マインド」を教えるというものだ。

世の中を調べる実践としての社会学。それに固有のリサーチとはどのようなものなのか。その歴史や実践、多様な方法を教えながら〝調査する精神・調査するこころ〟を育てようとする。私も大好きなポリシーだ。

いったい私は何を書きたいと思っているのだろうか。この「リサーチ・マインド」という言葉を手がかりにして考えてみた。

単なる調査技法でも方法論でもない。質的なデータの収集法や加工法でもない。先に述べたような、〈ひと〉が生きていることへ向かう〝まなざし〟。それが何なのかを考え、問い直し、自分なりの〝まなざし〟を創造できるような感覚。

「世の中を質的に調べるセンス」「リサーチ・センス」とでも言える何かだろうか。

こんな言葉を気にかけながら、先を読み進んでほしいと思う。

第一章　数字でどこまで語れるか

社会学で世の中を調べようとするときは、まず仮説をたて、それを検証できるように調査項目を考え、個々の質問文を考える。調査票を作成し、実際に対象者に回答してもらう。集められたデータについて打ち込みミスなどを修正して、統計的な処理を行い、その結果をもとに分析を進めていく。

大学の社会調査実習などでよくみられる営みだろう。

私は、これまでいろいろな調査に関わってきたが、数字でものを語ろうとする調査を考えるとき、どういうわけか、二つの光景が浮かんでくる。これらは、世の中を調べることについての私の原風景である、といえば言いすぎかもしれない。

しかし、こうした経験を経ることで、エスノメソドロジー（人々の社会学。第六章、一八一頁以降で詳述）や、ライフストーリーを聞き取るという質的なフィールドワークのほうへ、私が傾倒していったことは事実だろう。

「わしゃ、知らん。わからん」

大学の学部での社会調査実習。確か関東圏での健康農村調査というものだった。大学院生が中心になって作った面接調査票を手に、対象となる家を自転車で回った。

夏休みのことだったと思う。汗だくで自転車をこぎ、できるだけ多くの面接をこなそうとがんばりながらも、農村の夏をけっこう楽しんでいた自分の姿を思い出す。あらかじめ対象者にはハガキを送り、いついつに調査にうかがうということは連絡してある。

縁側に座布団を用意し、待っていてくれたおばあさんがいた。あんたはどこから来たのか。孫もいま東京の大学に行っていると、孫娘を紹介されかけたこともあった。農村のお昼というこどもあったのか。基本的には時間がゆったりと流れているような感じを受け、多くの人は快く、面接調査を受けてくれた。

ただ一つ例外があった。

決していい家という感じではない。どちらかといえば貧しさがあらわれている家におじゃましたときのことだ。あいさつしても、なかなか中から人が出てこない。何度か呼びかけているうちに、年配の男性が出てきた。調査に来たことを告げると「わしゃ、そんなこと知らん」と一言。事前にハガキを出し、調査協力をお願いしているはず、ということをできるだけ丁寧に説明した、と思う。

ようやくのことで玄関に入り、上がりがまちのところに座り、面接調査を始めた。玄関から家の奥まで見通せ、奥に大きな家具調のテレビが置いてあったことが印象に残っている。「わしゃ、知らん」「わからん」「そんなこと知らん」。ほとんどの項目に対して、男性はこうそっけなく答えてくれた。いわゆるＤＫ（Don't Know）、ＮＡ（No Answer）の連続で、見事な調査拒否とでもいえる対応だった。なぜ、わざわざ私のところへ来て、このようなことを聞くのか。そうした怒りにも似た疑問が、男性からオーラのように出ていたことを記憶している。

ほとんど拒否のためか、早々に面接は終わり、私はその家を引き上げ、隣にあるお屋敷へ行った。そこではさっきと正反対の歓待だった。居間にあげてもらい、ケーキやお茶が出た。調査に対するねぎらいの言葉もいただき、その人が書いた郷土史の本ももらったと思う。面接調査にも快く応じてもらい、しばらくは郷土の歴史のお話もうかがうことができた。

調査回答者なのか、生きている人々なのか

なぜ隣り合う二軒の家でこんなにも対応が異なったのか。後になり、その〃わけ〃が想像できた。歓待を受けた家が本家であり、そっけない対応を受けた家は分家の一つだったのだ。立派な垣根に囲まれた大きなお屋敷と傍《かたわ》らにある粗末な一軒家。対照的な家の様相が、その土地で生きている人々の現実を象徴しているように思えた。

私は、面接調査票など放り出して、地域での具体的な人間関係のありようや、本家―分家に見られる地域権力の構造などを細かく調べたいと思った。その二軒の家の様相が、地域固有のあり方を雄弁に語っているように感じ取れたからだ。

調査では、住民基本台帳や電話番号簿などを使い、ランダムに対象者が選ばれる。私たちは選ばれた対象者がどのような人かもわからず、ただどこそこの地域に住んでいるというだけで、同じ調査票を持ち、同じように面接調査をしていた。調査する側にすれば、ある地域でできるだけ偏《かたよ》りなく対象者を選び、サンプルを集めることは、なかばあたりまえのことだ。

しかし、地域での具体的な人間関係や暮らしのありようを気にすることなく、そこで生きる人々に固有のさまざまな違いを一切無視し、なかば強引に行われる面接調査とはいったい

どのような営みなのだろうか。暮らしの現実を象徴するような雄弁さと出会い、私は考え込んでしまった。

また、この調査実習のとき、調査票を作成した大学院生たちにかみついた記憶がある。なぜかみついたのか。その調査票に答えるのに、あまりにも時間がかかりすぎたからだ。

設問を話し、回答肢を説明し、相手にどれかを答えてもらう。その作業をひととおり終えるのに二時間以上かかったと思う。

確かに多くの人は協力的だった。しかし、二時間以上拘束するこの調査票は、ある意味で拷問《ごうもん》だった。答えにくい問い、答えたくない問いもあったはずだ。

対象者が自分の目の前で示してくれる反応やふるまい、様子を見て、私は正直、申し訳ないと感じた。面接調査をすることを申し訳ないと思ったのではない。答える側の〝都合〟にほとんど配慮できていない調査をすることの強引さに、申し訳ないと感じたのだ。

大学院生は、調査のテーマや仮説にそって、調べられること、調べたいことを検討し、具体的な項目や質問文をつくっていたはずだ。しかし、そこには答える人々に対する想像力が確実に不足していたのである。

「部屋の数と畳の数が相関します」

いま一つの光景。それはある研究会でのものだ。

ある研究者による同和地区実態調査の報告がなされている。そもそも母数が少なく統計的な処理をしても意味がないのに、さまざまな形でクロス表をつくり、その説明を延々とする。その結果、でてきた結論が、この地区では「各戸で部屋の数と畳の数が相関している」。

私は一瞬目が点になり、頭が真っ白になった。いったいこの報告者は何を考えているのだろうか。部屋の数と畳の数が相関するのは、あたりまえやないか。こんなことを報告するために、実態調査し、意味もないクロス表を延々と報告したのか。

当時、私は若い大学院生であり、生意気ざかりでもあったのだろう。こんなもの調査研究に値しないと憤然としていた記憶がある。

もちろん、そのときには、地区のほかの実態や何が問題であるのかも報告されていたはずだ。しかし、先の結論があまりにも〝みごとにあほらしい〟ものであったがために、ほかの内容は、私の記憶のかなたへ飛んでいってしまっている。

わざわざアンケート調査、質問紙調査をして、数字を集計し、統計的な分析作業にかけてでてきた結論が、そのような作業をしなくても明らかな常識的な知見であるとすれば、そんな作業は時間の無駄ではないだろうか。そう感じてしまったのも事実だ。

もちろん、いまはそんなことは考えていない。統計的な処理をもとにした優れた量的調査がこれまで数多く生み出されているし、そうした成果から行われる優れた社会分析や、社会政策の提言が、多くの社会学研究者によりなされているからだ。

では、なぜ冒頭から、かつての調査実習での経験やお粗末な研究報告のエピソードを語ったのか。

私は数字で世の中の状態を把握し、分析するやり方の意義を十分に認めている。ただ、人々の営みを何らかの形で数量化し、より一般的に現実を分析するだけでは、決して明らかにはならない問題や、人々が生きている現実がある。そのことを確認したかったからだ。

そして、数字だけでは説明できない暮らしの現実に近づいていく実践として、社会学的なフィールドワークのありようを語っていく手がかりにしておきたかったからだ。

市民意識調査の問題点

多くの自治体で、総合計画策定のために行われる市民意識調査。そこでどのような形で調査が計画、実施され、結果が蓄積されているのか、その実態については、これまでほとんど調べられることがなかったという。

数字でものを語ることが重要な意味をもつ市民意識調査である。もし、結果としてでてきた数字の背景がずさんで、いい加減であるとすれば、調査の意義は確実に失われていくだろう。

これまで私自身が回答したこうした調査や、自治体広報などで紹介される内容から、おそらく多くの問題点がそこに孕まれていることは想像できる。そして、そのことを例証した成果がある。

たとえば、大谷信介編著『これでいいのか市民意識調査——大阪44市町村の実態が語る課題と展望』(ミネルヴァ書房、二〇〇二)という本がある。

そこでは、各自治体で行われている市民意識調査の実態が詳細に批判的に検討されている。総合計画と市民意識調査の関連がどのようになっているのか、母集団の設定、サンプリング、回収率、調査実施後の取り組みの実態、熱意をもって取り組んだ調査の実際や、思いはあるものの裏目に出てしまった調査の例証などが、具体的な調査のプロセスを検討しながら丁寧に論じられている。

私が興味深かったのは、具体的な調査票、質問文の問題性を指摘しているところだ。

たとえば「データ化できない質問文」という節がある（大谷編著、二〇〇二、八二〜八四頁）。

ある市の調査票。「みなさんの生活環境をよくするために、とくに必要と考えられるのはどのような事業ですか。お考えに近いものを3つだけ選んで番号に○をつけてください」という質問文。

その後に「女性政策の推進」「公害対策」「道路の整備」「消費者保護の推進」「公園、緑化の整備」「下水道の整備」「福祉の充実」「教育施設の充実」「文化施設の充実」「スポーツ施設の充実」「文化活動の振興」「環境衛生対策」「保険・医療の充実」「防災対策」「住宅対策」「産業の振興」「都市整備」「放置自転車対策」「交通安全対策」「文化財保護」「青少年教育」「国際化施策」「生涯学習の充実」という二三の項目が続き、最後に「その他（具体的に）」とある。

大谷さんの本では、この問いが三つという複数項目を回答させる形式であり、そう限定することで、回答が一つや二つしかない人が、数合わせで他の項目を恣意《しい》的に回答してしまう恐れがあり、集計結果の数字の信頼性が失われることを批判している。

なるほど、そのとおりだと思うが、私はまずこの問いを見たとき、なぜ二三項目なのか、という点でいい加減さを感じてしまった。

それぞれが行政にとって重要な項目であることは、常識的に理解できる。しかし、調査する側がただ思いつくままに列挙しただけという印象が拭《ぬぐ》えない。なぜなら最後に「その他（具体的に）」と回答者が書き込むスペースがあるからだ。

市民の生活環境をよくするために、調査する側が、行政にとって重要な施策をあらかじめ検討し、仮説を考える。そのうえで提示する項目を確定する。

さらに、各項目の重要さを、調査する側があらかじめ考え、想定したうえで、実際に市民に問う。そして、調査結果と想定とのずれや重なる部分を検討し、どの施策を優先するのかを考えていく。

こうした発想や作業が背景にあるとすれば、右のようなかたちの問いには決してならないはずだ。

また、なぜ回答が三つに限定されるのだろうか。なぜ一つではだめなのだろうか。なぜ四つや五つではだめなのだろうか。なぜ必要だと考える項目すべてに○ではだめなのだろうか。

個数を限定しなければ、全部に○をする人がいたりして、項目間の差を測ることができなくなる、などの説明が可能かもしれない。しかし、それでも私は納得しないだろう。

とりあえず三つ答えてもらい、その結果を集計して、市民がどのような項目を必要と考えているのか順番を明らかにしよう、という発想があるとしても、項目を二三選んだ理由は不明であり、恣意的なのである。

「市の将来像を実現していくために、今後どのような施策が重要だと思いますか。5つ選んで該当する番号に○印をつけてください」

この問いには三五の項目があげられ、三六番目に「その他（　　）」がある。私が回答者であれば、口をあんぐりとあけ、いったいどないせぇちゅうねん、と、この時点で回答するのに嫌気がさしてしまうだろう。

ほかにも「回答を誘導している」質問文、「どちらにも答えられる可能性がある（重複のある選択肢・次元の異なる選択肢がある）」質問文、「どれにも答えられない可能性がある（網羅的でない）選択肢」の質問文、「何について答えればよいのか特定できない質問・選択肢」などが具体的に検討され、とても興味深い（大谷編著、二〇〇二、第六章）。

私は数字でものを語ることについて、批判するつもりはない。ただ大谷さんも述べられているように、もし量的な発想で調査をするならば、調査企画から設計、具体的な調査票の作成、集計された数字のデータ化、分析作業、成果の利用までをきちんと考えたうえで、〈分析できる調査〉となるように努力する必要がある。

一次元的な尺度で何が測れるのか

いったい何を調べているのだろうか、という思いがどうしても強くなる問いがある。それは一次元的な尺度を用い、あることを測定しようという問いである。

一次元的な尺度による測定は、量的な調査ではごく自然に行われている。しかし、このやり方で人々の喜びや怒りなど情緒的な内容を問い、測定しようとする発想に、私は問題を感じてしまうのである。

たとえば、手元に山崎喜比古・瀬戸信一郎編『HIV感染被害者の生存・生活・人生』（有信堂、二〇〇〇）という調査報告書がある。

一九九六年の裁判の和解で、世の中の人々は、いわゆる「薬害エイズ」問題はもう終わったと思っているだろう。しかし、HIVウィルスに汚染された非加熱の血液製剤を用い、HIVに感染してしまった血友病の被害者の苦悩や人生は終わったわけではない。

この調査報告書は、患者や家族、遺族という当事者も参加し、被害の実態を明らかにするというユニークかつ貴重なものだ。それまで、HIV感染被害者の生存や生活、人生をトータルに調べたものはなく、意義深いといえる。

ＨＩＶ医療体制のあり方。医療への参加とセルフケア。就労・就学・社会参加と生計。差別および差別不安とその影。サポートネットワークと病気開示。ストレス対処能力ＳＯＣと生きがい。ＨＩＶ感染の告知と説明。被害認識と感情。被害構造と救済・恒久対策、等々。

これらは報告書の目次にあげられたものであり、この調査が被害当事者の生きる現実をできるかぎり多面的に把握しようとする意志が明確に見える。

ここで述べたいことは、調査の意義自体を否定したり批判するものではない。ただ社会問題をめぐり当事者の意識や情緒を把握しようとするとき、社会学がこれまでほぼかわることなく行ってきた一次元的な尺度での測定という問題の確認をしたいだけである。

たとえば、ＳＯＣ（Sense of Coherence）という言葉がある。

これは「首尾一貫感覚」と訳され「ストレス対処能力・健康保持能力を概念化したものである。その能力とは、ストレッサー（ストレス作因）にさらされながらも、それにうまく対処し、うちのめされないばかりか、場合によっては、それを成長や健康の回復・増進の糧にさえしてしまう」能力のことである（山崎・瀬戸編、二〇〇〇、一二〇頁）。

この能力は、一三項目の質問に1から7の段階で答えてもらい、それを1点から7点まで点数化し、集計することから明らかになるという。

具体的な質問項目をいくつかあげてみよう。

「患者さんご自身の、人生に対する感じ方についてうかがいます。難しい質問もあるかもしれませんが大切な項目ですので、ぜひお答えください。(各々1から7のあてはまるものに○)」という質問文のあとに、次のような問いが続いている。


「あなたは、自分のまわりで起こっていることがどうでもいい、という気持ちになることがありますか? (まったくない1-2-3-4-5-6-7とてもよくある)」

「あなたは、これまでに、よく知っていると思っていた人の、思わぬ行動に驚かされたことがありますか? (まったくなかった1-2-3-4-5-6-7いつもそうだった)」

「あなたは、不当な扱いを受けているという気持ちになることがありますか? (よくある1-2-3-4-5-6-7まったくない)」

「あなたが毎日していることは、(喜びと満足を与えてくれる1-2-3-4-5-6-7つらく退屈である)」

「あなたは本当なら感じたくないような感情をいだいてしまうことがありますか？　（とてもよくある1-2-3-4-5-6-7まったくない）」
「何かが起きたとき、ふつう、あなたは、（そのことを過大に評価したり、過小に評価してきた1-2-3-4-5-6-7適切な見方をしてきた）」

質問文に「難しい質問」とあるが、正直、答えるほうからすれば、まず問いの文章で何をどのように理解し、どう回答していいのか、困惑するのではないだろうか。

「首尾一貫感覚」を測定するものとして、個別の問いにはそれなりの理由があり、点数化され統計的に処理された結果から明らかになる内容は、意味のあるものかもしれない。

個別の問いが、調べるべき内容を適切に問うているのかなどの問題点をあげることもできるが、ここでは、一つのことだけ、確認しておきたい。

それは、一次元の尺度で、あることについて回答させるという発想や、対象者の人生をめぐる感じ方や価値、生活実感、情緒などを1から7までの尺度にむりやり落とし込もうとする力がもつ問題性である。

通常、よく使われる尺度は、「1思う-2どちらかといえば思う-3どちらかといえば思わない－4思わない」という四点尺度だが、この四点が等距離であることは、いったい誰が保証しているのだろうか。

また、通常は「わからない」「どちらでもない」という中間点を置くが、そうした中間点がない場合、回答者は、1から4のうち、どれかを選択することを、強制されることになる。

こうした尺度で、何を調べようとしているのか。答える側は、どこかの点に○をつけることで、何を答えたことになるのだろうか。私は疑問を抱いてしまうのである。

回答者の客観的な属性や、ある事実についての認知など、イエスかノーかが明快に区別できるような質問項目への回答はしやすいだろう。

しかし、右にあげたような質問や、「どう感じるか」など情緒のレベル――イエスかノーで明快に判断しづらいような評価を問う質問には、限界を感じてしまう。

ほかにも数字でものを語ることを批判的に検討するならば、統計を恣意的に使い、あたかも客観的根拠のある数字として利用することがあげられるだろう。

たとえば、赤川学さんは、少子化対策に関する多様な議論のなかで、論者たちが統計的な資料をいかに自らの主張に沿うように恣意的に使用しているのかを、詳細に検討し、その問題点を暴きだしている。

この新書は、赤川さんの少子化対策をめぐる主張というよりも、彼の主張を裏づけていく統計の使い方、処理の仕方、数字の読み方が面白い（赤川学『子どもが減って何が悪いか！』ちくま新書、二〇〇四）。

ここではこれ以上、語ることはしないが、関連した本としてジョエル・ベスト『統計はこうしてウソをつく――だまされないための統計学入門』（白揚社、林大訳、二〇〇二）がある。

人々の経験や情緒が示される語りと出会う

もちろん量的な調査の意義は十二分にあり、「使える」ものであることは間違いない。しかし、私たちが普段生きている意味や価値、暮らしのなかで使用する現実の言葉やさまざまにわきおこる情緒など、いわゆる質的な部分を詳細に調べようとするとき、アンケート調査や質問紙調査という方法では限界がある。

私は、人々が自らの生きてきた経験を語る言葉や、その場で思わずあふれ出る情緒、あるいは抑制された感情、私に向かう語りの力と出会いたいと思う。

たとえば、薬害ＨＩＶという問題の渦中を生きてきた血友病治療医師と出会い、その経験を聞く場があった。

　医師は、なぜいま自分にその経験を聞こうとするのか、語らせようとするのかを、まず私に問うた。もう自分には当時の経験の意味が整理できているし、昇華されている。当時のどうしようもなかった悩みや苦しみも、今となっては冷静に見ることができる。なぜそれをいま語りだす必要があるのか。

　医師の落ち着いた語りには、なんとも言えない抑制された情緒が満ち、聞き取りをする私の姿勢を問いかけ、見抜こうとする力があった。

　こうした語りに出会った瞬間、いわゆる科学的な発想や方法で対象を分析しようとする考えは、私の中でまさに質的に変化を起こす。

　どうしたら、語りだされる力を受けとめ、語る人間と向き合うことができるのだろうか。どうしたら人々が生きてきた現実や、人々の語りや営みと出会うことができ、それらを彼らの「場所」から解釈することができるのだろうか、等々。

　以下では、こうした質的に世の中のできごとを調べようとする社会学者の経験をめぐって、私が考えるところ、感じるところを語っていくことにしよう。

第二章　はいりこむ

〝生きられた意味〟へ向かう

暴走族、現代演劇、精神病院の現実、ハンセン病者のライフヒストリー、部落差別問題、夫婦別姓問題、認知症高齢者問題、障害者問題、障害者のセックスケア、男性同性愛者を抹消する暴力、「レズビアン」という自己、精神障害者をめぐる言説の問題、外国人労働者問題、原子力発電所建設反対運動、環境保護運動における住民カテゴリーの問題、援助交際、地域伝統芸能保存、在日朝鮮人問題、TVドキュメンタリーの構成に象徴される在日朝鮮人問題に対して日本社会がもつ「おびえ」、ユニークフェイスの経験、ひきこもる若者、トランスジェンダーをまなざす「普通」の力、スポーツする日常にある性差別――。

これらは、私がこれまでに編集してきたフィールドワークをめぐる論集（山田・好井編、一九九八：好井・桜井編、二〇〇〇：好井・山田編、二〇〇二：好井・三浦編、二〇〇四：好井編、二〇〇五）に論考をよせてくれた社会学研究者たちのテーマだ。もちろん、まだまだもっと多くのテーマが、社会学が世の中を調べるうえで考えられるだろう。

こうしたテーマを眺め、それぞれの論考を読み、共通して感じることがある。それは、彼ら研究する者が、固有の文化を生きる人々、問題に立ち向かい運動する人々、自らの〈ひととなり〉に及んでくる社会からの圧力に対処する人々など、固有で具体的な現実を生きる人々と出会い、その現実にできるだけ「はいりこもう」とする姿勢であり実践である。

確かに質問紙・調査票などを用いて得た大量の情報を統計的に処理し、数字で世の中の動向を分析することで、具体的な社会計画、政策の提言はできる。しかし、そうした営みの必要性を十分に理解する一方で、社会学者は、人々が生きている固有で具体的な現実に「はいりこみ」、そこでどのように人々が生きているのかを詳細に読み解くことに、魅力を感じてしまうのである。

異文化の生活や世界を調べる人類学では、研究する者は、まず対象となる地域社会に一定の期間住み込み、現地の言語や習慣を学び、そこで暮している人々と日常的な関係をつくろうとする。こうした「はいりこみ」は、人類学的なフィールドワークを実践していくうえで必須の作業だろう。

社会学のフィールドワークは、異文化や異言語を調べる人類学とは、少し異なるかもしれない。

多くの場合、研究する者も対象となる人々も日本語を使用しているし、基本的な生活習慣や文化は理解可能であるという前提がある。この意味で、社会学のフィールドワークは、同じ文化を生きる人々を調べていると言えよう。

しかし、後の事例でわかるように、同じ日本語を使用していても、異なる次元や位相を生きている人々の集団や地域に固有の文化があり、秩序があり、言葉がある。そして人々が大切にしている価値があり、共に味わう情緒があるのだ。

こうした〝固有さ〟と出会うために、そして、人々の〝生きられた意味〟に向かううえで、社会学においても「はいりこむ」という営みは必須なのである。

シカゴ学派

社会学において、「はいりこむ」実践の伝統は、アメリカ社会学のシカゴ学派にさかのぼる。

一九二〇年から三〇年代、大量の移民がシカゴに流れ込んだことで、人種、民族、文化、言語が異なる街角ができ、さまざまな社会問題が生じることになった。

爆発的に人口が増えるなか、都市に住む人々の生態や文化、階層、教育、家族、犯罪、逸脱した行動や文化、そして生活の実際はどうなっているのかなど、社会学がテーマとするすべてのものが、一斉にわきあがり、沸騰していたのである。

まだ洗練された調査方法や技術、道具などなく、当時の研究者は、どうすればこうした現実を調べられるのかを考えながら立ち向かっていった。その成果は、シカゴ社会学のモノグラフ（事例研究）として有名である（近年になり、この成果が翻訳され、ハーベスト社から順次刊行されている。社会学的なエスノグラフィー〈民族誌〉の原型がすべてシカゴのモノグラフにあり、それが日本語で読めるようになるのはうれしいかぎりだ）。

シカゴ学派からうまれた「アーバンエスノグラフィー（urban ethnography）」という流れ。「はいりこむ」という営みをより深く考えるうえで、この流れの作品を読み味わうことは重要である。

暴走族のエスノグラフィー

さて、社会学の学説史の教科書にでも書いてあるようなことを、くだくだと述べるのはやめにしよう。

以下では、私が、すごいなぁ、面白いなぁと感じる実践を例証しながら「はいりこむ」という営みについて語っていこう。

まず思いつくのは、佐藤郁哉さんの、今となっては古典的名作といえる『暴走族のエスノグラフィー』（新曜社、一九八四）だ。当時、刊行されたものを読み、あぁこんないい仕事をしている人がいるのか、と感動した。

集団でバイクに乗り、暴走する若者たちの文化を「遊び」「フロー体験（何かに完全に熱中し興奮しているときに感じる充足感、自分が世界の中へ満ちていく感覚）」という理論枠、概念で説明し、暴走族のスピード、スリル、ファッション感覚などを具体的に読み解く。そのうえで彼らの文化が、支配的な文化のなかでどのような位置にあり、いかなる力や限界をもつものなのかを論じていくのである。

当時、暴走族に関してはジャーナリストのルポなどがあったが、こうした具体的現実に研究者自身が「はいりこみ」、彼らの営みや語りくちなどを詳細に観察し、分析した社会学的な成果はなかったと思う。

ただ、私は佐藤さんの分析を読みながら、あることが気になっていた。それは、佐藤さんはどのようにして暴走族の現実に「はいりこんだ」のかということだ。

そこにはさまざまな葛藤や出会い、喜びや落胆があるはずだ。そのような、佐藤さん自身のフィールドワークの「経験」とでもいえるものをできるだけ詳しく知りたいと思った。後に佐藤さんと友人になり、私が『フィールドワークの経験』という論集をつくるとき、そのことを書いてほしいとお願いをした。

そこに書かれた論考は、大学院生時代からその時点までの佐藤さんのフィールドワークの変遷であり、対象への自分の位置取りに関する反省から生じた、彼自身の関心や視点の変遷だった。

佐藤さんは、大学院生時代、指導教官とともに少年院に収容されている若者の調査をする。それは制度的なルートにのっかった、いわば支配的な文化という場所から〝見下ろして〟「矯正される少年たち」の姿を調べるものだった。

矯正施設を管理する側の承認を得たうえで、施設に入り、少年たちの聞き取りをする。佐藤さんがなるべく少年たちのホンネを聞き取りたいと思ったとしても、彼らからすれば、佐藤さんは常に〝施設サイドの人間〟であり、その壁は簡単には壊せない。〝施設サイドの人間〟に対して、少年たちがホンネや自分の思いのたけを語りだすことはないだろうし、自分がこの施設で生きていくうえで、施設側に目をつけられないように、さしさわりのないことが語られるだけだろう。

実際、佐藤さんは聞き取りをした少年たちから「先生」と呼ばれる違和感、居心地の悪さを経験する。決められた「上からの入り口」から少年たちを調査しても、それは限られたものであり、偏ったものになってしまう。おそらく佐藤さんはこう感じ、調査することに〝後味の悪さ〟を感じたのではないだろうか。

結果として、彼は暴走族という調査対象を決め、彼らが普段暮らしている日常に近づいていき、独自の「入り口」を探そうとするのである。

この論考自体は、ある研究者の関心や姿勢、よって立つ場所の変遷などが反省的に語られ、とても興味深いものだった。ただ、それは、私が佐藤さんに出したお願い、つまり暴走族の若者と佐藤さんが具体的にどのように出会い、語り合い、関係をつくり、別れていったのかという「経験」の解読ではなかった。

その後、佐藤さんは、彼自身の調査経験や、大学のゼミや授業で調査の仕方を教える経験をもとに、「はいりこむ」技法をわかりやすく語った『フィールドワークの技法』(新曜社、二〇〇二)という本を出した。私はそれを読み、かつてのお願いへの答えの一端を知ることができたのである。

入り口を探す

暴走族や「ヤンキー」のたまり場に、深夜「その場の雰囲気からあまり浮いた様子に見られないように」、ジーンズとTシャツにサファリスーツをはおり、メモ帳と一眼レフのカメラを常時持って顔を出していた佐藤さん。彼は「浮いた様子に見られないように」と書いているが、その光景を想像すると、思わず笑ってしまう。

報道関係の人でもないし、彼らを取り締まろうとする警察関係の人でもない。かといって彼らの様子や集会を興味本位で見ようとする観客でもない。その意味では、佐藤さんも書いているように、思いっきり「場違い」な、目立った存在だったのだろう。

このおっさんは何をしに、わしらのまわりをうろついとるんやろうか、けったいなおっさんやな。そんな感じで彼らから見られ、警戒されていたのではないだろうか。

佐藤さんは、調査の意図をできるだけ彼らにわかるように語り、インタビューへの協力を要請していく。もちろんすぐにＯＫが出るはずもなく、最初の三カ月は調査が進展しないことに悶々としていたという。

結果として、ある女性から、族を卒業するから写真を撮ってほしいという電話がかかり、そのできごとをきっかけに彼らから「入り口」をあけてもらい、彼らの現実を調べることができたのである（佐藤、二〇〇二、第二章）。

まさに「待望の電話」だ。なぜなら、調べる対象である彼らのほうから、佐藤さんに働きかけてきたからである。調査を認め、協力しましょう、という承諾のメッセージではない。あくまで写真を撮ってもらう、という自分たちの都合であり、佐藤さんを「使おう」「利用しよう」とする要請だ。でもそれは、佐藤さんにとって、手探りで求め続けていた「入り口」だろう。

こうした「入り口」はフィールドワークのなかでは、突然訪れるものかもしれない。だが、それはやはり「突然」ではないし、「わけもなく」やってくるものではないはずだ。

深夜に何度もたまり場を訪れ、ぎこちなく、でも自分たちをどうにかしようという「悪意」のない働きかけのなかで、佐藤さんという「異人」の意味が彼らのなかで緩やかに変わっていく。

〝得体の知れないおっさん〟から〝邪魔しないなら放っておいてもいい、物好きなおっさん〟へ。さらには〝「写真を撮って」と「使える」おっさん〟へ、と変わっていったのではないだろうか。

佐藤さんが悶々としていた三カ月。それは徒労でも何でもないだろう。暴走族の若者たちが暮らしている現実へ、佐藤さんという存在の意味が徐々に刷り込まれていった、優れて意味がある「入り口」探しという営みなのである。

「監視」されるおっさんから「信頼」されるおっさんへ

「入り口」があけられ、佐藤さんが「集会通い」を始めても、佐藤さんが何者であるかについての懸念が消えるわけではない。集会後、佐藤さんのあとをつけ、彼が警察や交番に入っていったりしないか、彼らが「監視」していたと、佐藤さんは語っている。とても興味深い話だ。

佐藤さんが警察へ寄らなくてよかったなぁと、ほっとしてしまう。もちろん彼は集会情報を警察へ漏らすことなどしないだろう。ただ、ふと思いついたりして、情報を入手しに立ち寄ることは十分あり得ることだ。もし一回でも、佐藤さんが警察へ寄ったことが「監視」の結果わかれば、その時点で、調査は途絶してしまっただろう。

当時、佐藤さんは「監視」の可能性を考え、自らの営みに細かい配慮をしていたのだろうか。彼自身、そのことについてはっきりと語っていない。ただ、暴走族のような、支配的な社会や文化へ対抗し抵抗しようとする集団や組織を調べようとするとき、「監視」への配慮は必要である。

今一つ、興味深いのは、彼らが「監視」していたという事実を佐藤さんに告げたことだ。佐藤さんは、「外部からやってきた調査者の人柄や調査目的を値踏みし調査や取材の可否について判断し決定する権限と責任をもつ門番のような役割を担う人」のことを「ゲートキーパー」と呼んでいる（佐藤、二〇〇二、三六頁）。彼の調査意図を詳しく理解していたのは、彼のいう「ゲートキーパー」の女性か、「キーパーソン（調査を進めていくうえで鍵となる重要人物）」の男性だろう。

他のメンバーは「あいつが、あのへんなおっさんのことを認めているなら、文句はいうまい、まぁいいだろう」と佐藤さんの調査につきあっていたはずだ。

そのなかで、あんたを「監視」してたで、と告げるのは、ある意味で、佐藤さんへの「信頼」の表明であり、疑っていたことはすまなかった、という謝罪の表明と読めるのである。

佐藤さんと暴走族のメンバーたちの距離の変動を、こうした行為で感じることができる。

カメラの役割

「カメラマンさん」「インタビューマンさん」と呼ばれ、彼らから一定のつきあいを許された佐藤さん。彼が書いているように、カメラ、それも一眼レフの大きなカメラを首からぶら下げていたことは、佐藤さんのフィールドワークにとって鍵であったのかもしれない。

たまり場で名刺をわたし、なぜいま自分がここにいるのかを、できるだけわかりやすく説明する。こうした営みは調査の基本である。それに加えて、おそらく佐藤さんは、適宜、可能であれば、彼らにカメラを向け、写真を撮ったはずだ。写真を彼らに見せ、渡していたかもしれない。

支配的な社会や文化に対抗し、暴走する若者たち。彼らは暴走することだけを、その「フロー体験」だけを楽しんだのではないだろう。常に何らかの形で目立ちたい、他から見られたいという欲求があったのではないか。とすれば、自分の姿が写真に残り、写真集のページを飾ることは、彼らにとって関心のわくことだ。

フィールドワークで写真を撮ることは、相手から許されれば、必須の営みである。佐藤さんが、カメラをぶら下げて彼らの前に現れたのは、とても上手な姿の見せ方だったといえよう。結果として、そのカメラが佐藤さんと暴走族の現実を具体的に「つないだ」からである。これは、事前の工夫であり、佐藤さんのフィールドワーカーとしての直感かもしれない。

「経験」を語ること

佐藤さんは、こうした経験をもとに、フィールドワークの「技法」を丁寧に語っている。ある集団を調査しようとするとき、まずは集団を紹介してくれる「スポンサー」や鍵となる人物（キーパーソン）と出会い、関係をつくること、さらに調査者を集団の現実へ入れてくれる門番（ゲートキーパー）が誰かを確認して、入れてもらえるように自分を紹介したり、自分の印象をうまくつくりあげていくことが大事だと述べている。

調査する者は、基本的に人々にとって余計な存在であり、その現実をつくるメンバーではないという意味で「異人」である。しかし「異人」であるからこそ、集団のメンバーにはあたりまえすぎて見えていないものを見ることができるし、その分析を人々に返せる可能性をもつのである。

こうした「技法」を確認することは重要だろう。ただ、私は「技法」と同様に、フィールドワークの「経験」を語ることが重要だと考えている。

佐藤さんが暴走族のフィールドワークを進めるなかで、相手とのやりとりがどのようにうまくいき、あるいはうまくいかなかったのか。そのとき佐藤さんは何を感じ、考え、語ったのか。いわば彼の説明する「技法」がどのように〃生きられていたのか〃。

おそらく佐藤さんのフィールドノートにはさまざまな思いや情緒、その場の考えが書き残されているのだろう。佐藤さんの〈ひととなり〉が、暴走族のフィールドワークをするなかで、どのように揺れ動き、変質していったのか。それが調べる対象である彼らにどのように影響していったのか。

こうした「経験」を詳細に読み解いていく作業をとおして、フィールドワークの「技法」がもつ意味が、より具体的に確認されていくのである。

福祉施設に「はいりこむ」

さて、福祉施設や医療施設のような、守るべき規範やルールがあり、秩序が保たれているようにみえる現実に対して、社会学者はどのように「はいりこむ」のだろうか。

自らのフィールドワークをコミカルなイラストを駆使し学会報告していたユニークな研究

者に、福祉施設のフィールドワークの「経験」を書いてもらったことがある（出口泰靖『呆けゆく』人のかたわら（床）に臨む――『痴呆性老人』ケアのフィールドワーク」好井・桜井編、二〇〇〇、一九四〜二二一頁）。

出口さんは、認知症高齢者の「呆けゆく」体験を調べようとして、福祉施設へ「はいりこむ」。ただ、そこは特別養護老人ホームであり、施設の秩序を維持するうえで、関係者でもない人間が、意味のないかたちで「はいりこむ」のはなかなか難しいだろう。

こうした施設では、部外者に対して常に、なぜここにいるのか、なぜここを調べるのか、調べたことはこの施設にとってどのように役立つのかなどの意味が問われていく。

施設の当事者からすれば、お年寄りの身体や生活の安全がおびやかされる危うさがあるような営みが外部から要請されれば、当然拒否すべきだし、調査にそうした危険性がないかどうかは、きちんとチェックすべきだろう。施設側が抱く、調査に対する〝懸念〟は当然のことだろう。

ただ社会学者は、施設側が抱くであろう、こうした〝懸念〟の中身が気になるのである。

たとえば、施設側が考えているお年寄りの望ましい生活とはどのようなものなのか、それと実際の施設でのお年寄りの暮らしや気持ち、考え、感情がどのように一致し、どのようにズレているのかを、社会学者は調べたいと思う。

言い換えれば、施設のスタッフに〝生きられている〟意味と、施設で暮らしているお年寄りに〝生きられている〟意味がどのように重なり、あるいはズレているのかを、克明に調べたいと思うのである。

施設側の意思と、施設を調べたい社会学者の意思が一致することはまずないだろう。どこかですれ違いながら、施設の現実へ、社会学者は「はいりこんで」いくのである。

出口さんは、研修者、ボランティアとして、施設に入る。彼は施設から与えられ指示された役割を演じながら、認知症のお年寄りと向き合おうとする。

夕食後、お通じが出そうで〈つなぎ服〉を脱がしてくれと出口さんに頼むお年寄り。彼は脱がしたいのだが、「以前、職員の指示をあおがずに勝手な行動をとって注意を受けた」ため、思わず職員の顔色をうかがう。

朝までオムツははずせないんだから、(服なんか脱がずに、つまりトイレに行かずに)そこ(オムツ)にしちゃいなさい、とあたりまえのように対応する職員。服を脱がせ、トイレに連れて行く時間や余裕は十分あるにもかかわらず、決まりだからオムツにしろという職員の感覚や施設の日常。

出口さんは、この日常の場面に違和感を覚えながらも、研修者、あるいはボランティアの役割を演じてしまう自分の姿にも苛立ちを覚えている。

ほかにも出口さんは、認知症のお年寄りにできるだけ「共感」し「受容」する作法をまねて、スタッフのごとくふるまおうとする。

確かに一見すれば、お年寄りの困惑に優しく対応し、困っている問題を共に解決しているように見える。しかし、より時間をかけてお年寄りの声や現実に耳を傾けていくと、そうした施設での日常的な営みは、必ずしもお年寄りの思いや願いとヒットせず、すれちがっていることが、出口さんに実感されていく。

役割を演じ、役割に囚われない

こうしたすれちがいの実践を反省的に読み解くことから、出口さんは、施設が日常つくりあげている福祉的現実の問題性を明らかにしていく。

このとき、少なくとも二人の出口さんがいるのだろう。

一人は施設の日常にどこか囚われ、研修者やボランティアなどの役割を演じている。もう一人は役割を超えたうえで、自らの姿をできるだけ相対化し、冷静なまなざしのもと、なぜそのとき、そのように語り、ふるまったのかを読み解いている。

前者は、リトマス試験紙のようなものだ。それがどのような状況で何色に、どれくらい染まるのかを見て、そこに何があるのかを反省的に考えるわけだ。

ある現実に「はいりこみ」、自らの身体がどのように反応し、意識や思い、感じ方などがどのように変化するのか。調査する者は、「はいりこんでいる」状況を超越して、ただ存在しているのではなく、常に状況から影響を受けている。

〝調べる私〟の存在は、重要かつ大きな手がかりである。私が受ける影響のありようを反省的に読み解く営みは、「はいりこんで」調べる営みのなかで、重要な部分をしめているのである。

ところで、なぜ出口さんは自らのすれちがいを思い知らされたのだろうか。それは、島根県の「小山のおうち」という施設で行われている、従来の発想を根本的に転換した独創的な医療福祉実践との出会いがあったからだ。

そこでは、認知症のお年寄りに対して、病者としてだけではなく一人の〈ひと〉として対応し、薬で症状を抑えることをしない。お年寄りには、認知症は怖くないと説明し、まず物忘れをする姿を自らが認め、それが今の自分の姿だとして、〈いま、ここ〉から〈ひと〉としての暮らしを新たにつくりあげるように促していくのである。

そこで彼は、それまでの研修やボランティアであたりまえのように身につけてきた作法を、認知症の人々から一つ一つ問い直されていく。

別に「あなたの対応はこのようにおかしい」と指摘されるわけではない。小山のおうちという場での実践が、認知症のお年寄りという当事者への働きかけだけでなく、家族や身内など周囲の人々への意識変革、従来の医療や福祉であたりまえとされてきた認知症理解や、そのお年寄りへの医療・福祉関係者の「位置取り」の変革を促すからである。

出口さんは、こうした実践と出会い、自らのテーマへ「はいりこむ」ときに、囚われていた役割のちからに気づき、どうしたら役割に囚われずに、さらに「はいりこむ」ことができるようになるのかを模索するようになる。

たとえば、福祉や医療現場への「はいりこみ」では、何らかの役割を要請されるのは仕方のないことかもしれない。ただその場合でも、その役割に絡めとられるのではなく、いかにそこから距離をとり、演じるかは、「はいりこむ」営みにおいて、とても重要である。

なぜなら、出口さんが自ら体験してきたように、現場で役を割り当てられ、演じ、生きている個々の人々の営みは、それを研究する者が率直に感じる違和感や、自らが演じたときに思わず起こってしまうほかの人々とのズレや細かい裂け目によって、見えはじめるものだからだ。その違和感やズレは、さらに「はいりこもう」としていくうえで、確実に意味のある手がかりとなる。

地域伝統芸能に「はいりこむ」

地域社会には、昔からの文化や芸能、町並みなどがある。そして、日本各地にそれを保存、継承していこうとする動きがある。こうした伝統文化や芸能など、いわば歴史的環境の保存、継承という人々の営みを調べることは、環境社会学にとって重要なテーマといえる。

たとえば足立重和さんは、岐阜県郡上《ぐじょう》市八幡町の「郡上おどり」のフィールドワークを行っている（足立重和「常識的知識のフィールドワーク――伝統文化の保存をめぐる語りを事例として」好井・三浦編、二〇〇四、九八～一三一頁）。

彼は地元にアパートを借り、そこに住みながら、自分もおどりを身につけていくなかで、保存に関わる人々から語りを採集していく。

毎年、おどりのシーズンには約三〇万人の観光客が訪れる。「郡上おどり」は伝統文化であるだけでなく、町の重要な観光資源になっているという。この意味で、「おどり」は町をあらわす象徴であり、そこで生きてきた人々にとってかけがえのない価値をもつといえる。

さらに、博物館のガラスの向こうに陳列され眺められる〝かつての暮らしの痕跡〟ではなく、まさに〈いま、ここ〉で生き続けている〝伝統〟といえる。

「おどり」を調査研究したい、自らも「おどり」を覚え、できるだけ人々の生活に近づきながら、人々と「おどり」の関係を読み解きたい。こうした要請が町の外からやってくる。そういう研究者の要請は、「おどり」や、それを保存する人々の営みを批判する懸念がないと想定されるかぎり、人々に受け入れられやすいのではないだろうか。

もっと言えば、「おどり」の価値をさらに広める可能性がある〈外〉からの働きかけである。研究の結果が「おどり」をさらに〝権威づける〟ことになれば、伝統文化を保存する意味、町の象徴としての意味が増してくるだろう。

とすれば、社会学者は、調べたいという意志を明確にして、いわば研究者として、「大学の先生」として、「おどり」の保存をめぐる現実に「はいりこみ」、その営みを観察し、人々の語りを採集し、彼らと語り合うことができるだろう。

これは、明らかに先に述べた福祉・医療施設への「はいりこみ」とは質が異なる。

どちらの「はいりこみ」のほうが、より簡単だと言っているのではない。「はいりこむ」

ための一般的なやり方の説明ではなく、個別の対象に沿った「はいり方」を、研究者自身が、自らの「調べる」営みをふり返りながら、より詳細に語りだす必要性を確認したいだけだ。

常識的信奉に亀裂をいれる

足立さんは、フィールドワークをするなかで、ある疑問を抱く。

現在のかたちに整備された「郡上おどり」がある一方で、かつての踊りの形態をもとにした「昔おどり」が「再興」される。保存する人々の歴史理解、意識では、「おどり」は一貫して昔から継承されてきた伝統であり文化である。

しかし、現在、「郡上おどり」と「昔おどり」が、あたかも「もの」のように二つ存在している。この二つの「おどり」は連続しているのか、それともどこかで断絶しているのか。

足立さんのように〈外〉からの視点で見れば、なかば当然のようにわく疑問だろう。人々は「おどり」は一つと語るのに、なぜ「おどり」が二つあるのだろうか、と。

足立さんは、自らの聞き取りの録音を書き起こし、この問いを自分がどのようなかたちで人々に語りだし、人々はこの問いにどのように答えようとしたのかを、詳細に読み解いた。

歴史的に見て、八幡町に「おどり」は一つであり、「昔おどり」も現在の「郡上おどり」

も一貫しているという常識的な信奉。

　保存する会の人々は、この信奉を普段疑うこともない。逆に言えば、この信奉が歴史的な現実であると語り続けることが、保存する営みの核心といえるかもしれない。

　足立さんは、「おどり」を保存する人々に対して、そう簡単には揺るがない信奉に対して、「おどりは二つあると思うが、どうなのか?」という問いを、正面からぶつけていく。その結果、揺るがないはずの信奉に細かい亀裂が入り、普段、彼らが考えも反省もせずにいた常識的知識の様相が、少しずつ浮き彫りになっていくのである。

　この「問い」をめぐるやりとりの部分を読み、足立さんが人々に対して、とても慎重に、しかし力をこめて「問いかける」姿が、私にはとても興味深かった。

　足立さんが示した慎重さ。これは、単に問いかけにくかったからではないだろう。それまで彼は、保存する会の人々の語りをできるだけ詳細に、深く聞き取ろうとしていたはずだ。

　語りを妨げないように、語りやすくなるように配慮しつつ、聞き取っていく。この営みは「聞き取る」うえで必須だ。もし聞き取る過程で疑問が生じたら、相手の語りの内容に沿って、わからないことを聞き、確かめていく。

　しかし、先にあげた問いは、質が異なるものだ。人々の「おどり」をめぐる歴史的一貫性という信奉に抵抗し、否定する可能性をもつ。「あなたの語っていることは、実際の『おどり』の現実と異なっていて、間違いなのではないか」というふうに捉えられる可能性があるのだ。

当然、そのような問いを発すれば、彼らとのやりとりの流れが止まり、足立さんがそれまでつくってきた彼らとの関係も変質してしまうかもしれない。そうした危険性が十分に考えられるからこそ、彼は言葉につかえながら、慎重に問いかけたのではないだろうか。

足立さんは、こうした経験から、伝統文化や芸能、歴史的環境保存の現実を調べるとき、社会学者は、保存に携わる人々が抱いている常識的信奉や常識的知識をフィールドワークすべきだと主張する。

伝統的なるものをめぐっては、保存する人々が作り上げている特有の説明の仕方、理解の仕方があるだろう。しかし、彼らの説明や理解を語られるままに取り出していくだけでは、見えないものがある。

その説明、理解の仕方の背後に、どのような知識があるのか。そうした説明や理解を〈外部〉に向かってあたりまえのように語る彼らの信奉を支えているものは何なのか。

彼らの背後にある常識的知識と出会おうとする営みは、「はいりこむ」者にとって必須である。

ただ、その出会いを可能にするには、〈外〉からの冷静なまなざしと、相手の思いや情緒を少しばかり攪乱《かくらん》させる〝ラディカルさ〟と〝勇気（やる気？）〟が必要なのである。

市民運動に「はいりこむ」

生活環境が何らかの原因で脅かされようとするとき、私たちはそれに抵抗し、なんとかしようと立ち上がる。行政など制度からの要請であれば、さまざまな政治的な営みを繰り返し、それを無効にしようとするだろう。

ただ、この政治的な営み——市民運動は、簡単に進められるものではない。多様な利害がせめぎあい、生々しい感情も絡み合い、ときとしてドロドロとした人間模様をみせることもある。

社会学が、人々の現実を〈いま、ここ〉から読み解いていく営みであるかぎり、こうした市民的な抵抗、市民運動は優れて意味がある調査対象となる。

さらに言えば、こうした市民運動には頻繁に政治的な党派が介入してくる。そして、政治的なイデオロギー（そこで暮らす人々の現実からかけ離れ、これが一番優れた社会の状態、人々の暮らしのありようだという決めつけ）の対立を経験し、あるいは傍らで眺めることで、暮らしの場から抵抗しよう、あるいは問題を調整しようとする人々が、消耗していくこともある。

社会学者は、こうしたイデオロギーが市民運動に及ぼす影響にも関心があるのだが、私は、自らの暮らしの場で問題に立ち向かい、問題を解決していこうとする人々の営みに「はいりこもう」とする社会学に興味がわくのである。

とても興味深いフィールドワークがある（山室敦嗣「フィールドワークが〈実践的〉であるために――原子力発電所候補地の現場から」好井・三浦編、二〇〇四、一三一〜一六六頁）。新潟県巻町。一九九六年八月、原子力発電所建設の是非をめぐって、条例による住民投票を日本で初めて行った町だ。当時、その経緯も含めて、マスコミでもかなり報道されたと思う。

山室さんは、条例による住民投票の前に、住民による自主管理の住民投票が行われていたことに興味をもち、巻町にでかけた。

運動を進めてきた人に話を聞き、「反対だという人たち」「イヤだという人たち」という二種類の語りがでてきたことが気になり、山室さんのなかで、人々の営みを見る視点が揺れ動いていく。

「反対だという人たち」は、いろんな集会などで表にでてはっきりと反対を表明する。一方「イヤだという人たち」は、「寡黙」であり、表では「反対」とはっきりとは語らない。原発建設に「賛成か反対か」という単純明快な枠で人々が動いているはずだという最初の想定が、揺らいでいくわけだ。


人々の「信頼」にできるだけ近づこうとする

より人々の営みに近づこうとして、彼は偶然にも、地元のラーメン屋の二階に居候できることになる。

「『実行する会』の事務所番をしていた女性から、『いろんな人の意見も聞きたいですか。もし聞きたいなら、以前入っていた町おこしの会にいた男の人が、原発推進派のグループにいるので紹介しますよ』ともちかけられ、お願いすることにした。三人でその男性のなじみの小料理屋で歓談しているとき、私の研究のことに話題が移ったので、部屋を探していることを思い切ってきり出した。すると、女将が店の隣が空き家になっていることを教えてくれ借りることができるかどうかたずねてくれることになった。日を改めて返事を聞きに行くと、無理とのことだったが、偶然にも居候することになるラーメン屋の店主と知り合う。巻町に長期滞在し住民投票について勉強したい、という趣旨の相談を酒の力を借りながらすると、その場でよい返事をもらうことができた。しかし翌日、酔いからさめると不安になり、改めて確認に行くと快く受けいれてもらえた」（山室、前掲論文、二〇〇四、一六二〜一六三頁）

山室さんは、ラーメン屋の二階に「居候」するに至った経緯をこう書いている。「酒の力」をかり「巻町に長期滞在して住民運動の勉強がしたい」と相談した彼の姿が想像される。運動を実践してきた人を前にして、自主管理で住民投票できたことへの驚き、それを調べることがもつ社会学の意義、何としても調べたいという彼なりのホンキの思いなどが、「酒の力」で熱っぽく語られたのではないだろうか。そして人々は、山室さんのホンキを感じ取り、自分たちの運動や実践を見せてもいいと「信頼」したのだろう。

アルコールを飲めないと調査はうまくいかないといわれることがあるが、それは幻想である。一滴も飲めない優れたフィールドワーカーもいる。飲めるからというだけで調査が円滑に進むわけではない。

「はいりこむ」ことにとって大事な「酒の力」とは、山室さんのように調査する側のホンネや意志を相手に明確に伝える力であり、その結果、調査する意味を相手が理解し、「信頼」という関係が調査する者へと開かれていく力である。

「語られない部分」を実感する

山室さんは、ラーメン屋の二階に居候し、階下で行われる運動メンバーのやりとりを見る。あるいはやりとりに参加する。そうして住民投票を「実現する会」の営みを、垣間見ていく。「会」が巻町で活動していくときに、どのような「工夫」をしているのか。運動を進めるうえで「何」にもっとも配慮しているのか。そこで彼は、「しがらみ」に配慮している「会」の姿を見るのだ。

山室さんいわく、「しがらみ」とは「日常的な社会関係の累積を基盤に形成され、自らの意思や立場をあからさまに表明することを抑制する地域生活規範」のことだ。「実行する会」は「しがらみ」に配慮し、できるだけ多くの町民に対して住民投票することの意味を伝え、賛同者を募っていたのだ。

最初の頃、山室さんは、まだ原発建設「賛成―反対」の枠から完全に自由になっておらず、賛成でも反対でもない「会」の運動を捉えきれないでいる。

その後、彼は「たまたま発見した会への賛同者名簿のファイル」を見て、「実行する会」の運動の意味を自らの腑に落としていくのである。名簿の備考欄に書かれた「×」印。それは「氏名の公表は絶対にダメ」「匿名希望の賛同者」の印だった。

いろいろな「しがらみ」があり、表立って賛同の声をあげたり、賛同する姿を見せることはできないが、決して住民投票することに反対ではない多くの町民の姿が浮き上がってくる。

山室さんは、「実行する会」のこうした営みを見ることで、「賛成―反対」という、一般的で普遍的に見えるが、地元の人々の現実からはかけ離れている枠を相対化し、「意思表示の際しがらみに配慮せざるを得ない―配慮しない」という枠を手に入れるのである。

もちろん、「しがらみ」に配慮するなんて、少し考えればわかることで、それは住民という存在に対する想像力が乏しい結果だ、と批判することはできよう。ただ、そうであったとしても、実際に「実行する会」の運動がそうした配慮のもとで進められたかどうかは、山室さんが賛同者名簿を「たまたま」見ないかぎり、確かめることは難しいのではないだろうか。

さらにいえば、具体的にどのような中身の「しがらみ」なのかは、直接「聞き取る」ことからしか、わからないのではないだろうか。

山室さんは、社会学者が運動に「はいりこみ」、そこで「語られない部分」（表面にはでてこない、それなりのわけがある人々の思いや営みのこと）を実感することから、人々の問いを構成していくことが〈実践的〉だと語っている。

単に運動の現実を社会運動論などの理論枠で整理してみせるだけの調査では、現場の人々にとって「何の役にも立たない」だろう。そうではない一つのあり方を山室さんは示しているのである。

これは、環境問題やさまざまな住民運動、多様な被害告発運動へ社会学が「はいりこむ」うえで、重要な示唆といえる。

なぜなら、「はいりこむ」研究者の「信頼」がいかにつくられ、保たれ、あるいは失われていくのかという、世の中を調べるうえで、極めて重要なテーマに関わるからだ。そして、この「信頼」という実践は、抽象的なものではない。調べる者とそこにいる人々の具体的で細かい営みがうみだしていくのである。

「信頼」とは、ただ相手を信じていることの表明ではない。調査研究する者を自分たちの運動をめぐる営みのどの部分にまで踏み込ませていいかという、具体的な判断の表明であり、実践なのである。

山室さんは、「実行する会」のメンバーがやりとりする場に〝い続ける〟ことをとおして、〈外〉に漏れてはまずいような資料をみることができた。メンバーが彼を「信頼」していたからこそ、彼が〝そこにいること〟を彼らは承認していたのだろう。

静かに沸騰する「思い」と見合う

いま一つ印象深い優れたフィールドワークについて語っておきたい。それは小児がん病棟という閉じられた世界の秩序を、著者なりのセンスを駆使して見抜こうとするものだ（田代順『小児がん病棟の子どもたち――医療人類学の視点から』青弓社、二〇〇三）。

細菌感染がないように仕切られた強化ガラスの向こうで、白血病、悪性リンパ腫などと闘う子どもたち。完快して病棟を出ていく子もいるが、完治せず終末期を病棟の個室で迎える子もいる。こうした個々の生命の叫びが充満した病棟の日常。そこへ田代さんは週に一度、白衣など着ずに普段着のまま訪れる。

田代さんは、自分が何者であり、何の目的でこの場にやってくるのか、病棟社会での自分の位置づけを、子どもたちの母親に繰り返し説明し、子どもたちにも語り続けたという。母親たちは、彼の説明をどのように聞き、どのように受容したのだろうか。あるいは受容しなかったのだろうか。重い病に冒されているわが子の姿、きつい薬で顔がはれあがりながらも日々病気と闘っているわが子の姿。そして、面会という限られた時間のなかで、母親として子どもに精一杯向き合おうとする自らの姿。

おそらくそこには、医療、看護という特別なわざをもつ人々以外は、その場に居合わせることが許されないような、私的で濃密な時間が流れているだろう。そんな空間に、田代さんという「他者」「異なる存在」がいることを、彼女たちは、どのように認めたのだろうか。

本を読むかぎり、病棟社会の現実を調べたいという田代さんの願いを拒絶し、入ってきてほしくないと語る母親の声はない。とすれば、なおさら彼女たちが田代さんの何を認めたのか、彼が「はいりこむ」ことをどこまで許したのかが、とても気になるのである。

病棟での子どもたちの日常の様子。面会する母親たち。子どもの願いを何でもかなえてやろうとする母親の思い。夜の待合室――。

終末期に入った子どもは個室に移され、そのときを待つ。この個室が並んでいる場所は、大部屋にいる子どもたちが近寄ってはいけない場所になっている。誰言うことなく、分けられている場所の秩序。田代さんは個室のある廊下をうろつき、その秩序の保たれ方を感じ取っていく。

マルク（骨髄穿刺《せんし》）とルンバール（腰椎穿刺）という子どもたちにとって、とても痛い治療がもつ意味。病棟にいた子が亡くなったとしても、それは転院したことであり、決して死んでここから出ていったとは語られない日常。死や、死を連想させるものを峻別していく営み。子どもたちが自分の病気をいかにして知るのか、あるいは知らないでいるのか。それに関わる母親の態度という「情報」。終末期の子どもの様子、等々、医療人類学の視点から、淡々とまとめられている。

「通常の個室では、終末期の子どもが痛み止めのモルヒネの効果でうとうとしている。そのかたわらに母親がいる。まだ若い。もう命いくばくもないわが子を見つめている。この世に生を受けてからその子はまだ五年しかたっていない。五年間しか一緒にいられなかった母と子。子どもは、うとうとと眠りながらも手はそこだけ眠っていないかのように母親の手をしっかり握っている。そこだけ違う時間が流れている。しばらくすると思いがあふれて、彼女の瞳には涙があふれるだろう。どれだけ泣いても涙が涸れないのが不思議だ。でも子どもが起きているときは、絶対に涙は見せない。どれだけ祈っても神様は願いをかなえてくれなかった。自分の命と引き替えでも、この子を助けてともう何十回も祈ったことだろう。疲れと哀しみが『澱《おり》』のように心と身体に降り積もっていく。
私は記憶する。心に刻み込む。この情景と雰囲気を決して忘れまいと。個室から、個室独自の時間の流れが、音を立てて私に迫ってくる。カーテンは几帳面に閉められている。でも感じる。かすかな生が圧倒的な死と対峙しているという密度の濃さを。母親と子どものあいだを、『思い出』という『生きていること、生きてきたこと』の証が駆け抜けていることを。私は途方にくれた立像のようにその個室の前に立ち尽くしている」（田代、二〇〇三、三〇頁）。

終末期を個室で過ごす子どもと母親の様子を語っている部分を抜き出してみた。『小児がん病棟の子どもたち』では、医療人類学という学問的視点から病棟社会の秩序が説明されている。

しかし、個室の前で立ち尽くし、彼らの様子を見抜こうとする田代さんの記述は、ただ観察できたものだけをもとに冷静に語られているとは、とうてい思えない。死を前にして静かに沸騰する母親と子どもの思いや生の迫力とでもいえそうな何か——簡単には説明できない濃密で特別な時間があふれだし、彼に迫ってくる。観察という営みを超えて、そのリアルさを、なんとか表現しようとした結果、語りだされた記述だろう。

こうした記述に対して、情緒過剰気味で、文学的な、あるいは小説のようなレトリックを使ったものであり、論述とはいいがたい、などと〝くだらない〟評価をしてほしくはない。なぜなら、おそらく田代さんのこのような語りは、「病棟社会」でひそかに息づいている子どもたちの思いや母親の静かで強烈な叫び、死を前にした子どもたち一人一人に流れる時間の音など、感じ取れるが的確に語り得ないものを、なんとかして伝えようとする、著者のあえぎにも似た努力の結果だからだ。


「フィールドワークをとおして、私は『見合っている』ことを何度も感じた。それは、子どもたちの背後にあって決して表立ったりするものではない。しかし、まるで背後霊のように子どもたちの向こうにあって、私に鋭い視線をあびせかけてくるもの。

ナゼ、アナタデハナクワタシガ、ナゼ、ホカノコデハナクワタシガ、コノビョウキニカカッテクルシミ、トキニハシンデシマウノダロウ。マダコドモナノニ。

『なぜ、私であるのか』という不条理・理不尽。それらへの『怒り』と『やりきれなさ』が子どもたちの向こうにたしかにある。

一見、秩序だった世界の向こうにあって、それらはうごめいている。かろうじてそれらが噴き出さないのは、子どもと母親、母親と子ども、それぞれがそれぞれのベクトルでもって、どうなろうとも決してこの二者関係だけは『壊さない』ことを、すさまじく果たし合っているからだ」（田代、二〇〇三、一八八頁）。

田代さんが「見合って」しまった子どもたちの「怒り」や「やりきれなさ」。それらが噴出しないよう、壮絶にせめぎあう営みが、一見静かに流れている「病棟社会」の秩序の核心にあるのである。

ホスピスなど終末期医療の現実や差別問題など、生命が燃え尽きること、あるいは生命にゆゆしきダメージがふりかかる危険がその奥に見据えられるような現実を調べようとするとき、社会学者は、死や、そうした危険に立ち向かおうとする圧倒的な生のゆらめきに出会い、それをどう表し、どう語りだしていいのかわからず、その場に立ちすくむことがある。

そんなとき、調査技法や自分がもっている現実理解の枠など、ほとんど役に立たないだろう。田代さんのように、立ちすくんでいる自分の姿を見つめなおし、自分のなかから自然にわき起こってくる思いや言葉から、素直に語りだすほかはない。

社会学には、まだまだ数多くの優れた興味深い「はいりこむ」営みがあるし、今後も蓄積されていくだろう。

ただ、この章で述べた、入り口を探すこと、役割を演じ、役割に囚われないこと、人々の常識的信奉に亀裂を入れること、人々の「信頼」にできるだけ近づこうとすること、ある場に「はいりこみ」、そこで静かに沸騰する「思い」と見合うことは、調べようとする現実やテーマがどのようなものであれ、人々の〃生きられた意味〃へ向かうための基本だろう。

そしてさらに二つほど、「はいりこむ」ときに、社会学者が十分に自覚しておく必要のあることを語っておきたい。

〃余計な存在〃であることを読み解く

一つは、どのような理屈を立てようとも、「はいりこむ」人は、人々の暮らしや現実にとって〃余計な存在〃であるということだ。

「はじめに」でもふれたが、私たちは普段、人の家に土足であがりこむことはしない。きれいに土を落としたからといって、靴のまま家にあがりこむこともないだろう。しかし、調査だからということで、社会学者は細かな配慮をせずに、土足のままあがりこんでしまうことがあるのだ。

人の家、つまり、他人には入り込んでほしくない、触れてほしくない私の部分。仮にそうした部分に、調べたいと直感する何かがあろうと、社会学者はすぐにあがりこむのではなく、いったん立ち止まり、自らの存在を見直す必要があるだろう。

相手にどのように働きかけ、どのような反応があったのか。〝余計な存在〟である自分の姿が、変わりつつあるのか、それともさらに〝邪魔な存在〟になってしまっているのか。自らの営みを反芻《はんすう》しないかぎり、「はいりこむ」営みを続けるべきではない。

もちろん〝余計な存在〟は、見方を変えれば佐藤郁哉さんのいう「異人」である。調べている現実をなかばあたりまえのように生きている人々とは、異なるまなざしをもった存在である。そのため、人々が気づかないさまざまな問題を感じ取り、それが何かを語りだすことができる。

社会学者は、「はいりこむ」なかで、さまざまなかたちで現れる〝余計な存在〟としての自分の姿や経験を、常に反省的に読み解いていく必要があるのだ。

変貌する自分の姿を読み解く

いま一つは、「はいりこむ」なかで、自分自身に生じる微細な変化を感じ取り、起こるであろう自らの姿の変貌を心地よく受けとめよ、ということだ。

よくわからない現実に「はいりこみ」、調べれば調べるほど、その姿はよく見えてくるかもしれない。しかし同時に、調べる営みは、社会学者がそれまであたりまえだと感じ、考えていたこと、自分たちが生きてきた日常生活を危うくさせる。

たとえば、それまで聞いたことのなかった、壮絶な、しかし豊かな、誇りに満ちた人生の語りと出会い、感動し、自分の背後にある自明性のどこかに亀裂が入り、崩れた部分が新たなパーツに取り替えられていくような感覚である。

こう書いていて、いつも思い出すシーンがある。

大学院生時代、奈良の被差別部落へ聞き取りにいったときのシーンだ。そこでは上水道が長い間ひかれず、ずっと水の苦労があったという。生活のためにためていた水を濾過《ろか》するタンク。その狭いタンクの中を掃除しているとき、あやまって道具の柄が目にあたり失明した母のことを、ある男性が語ってくれた。

「いま、朝起きてもね、顔洗うのに、栓ひねったら、水ピャッと出まんねん。なんで、これ、母親が生きてるあいだに、いっぺん、これをキュッとひねったら、お母さんが、『ああ、ありがたいな』て言うて、死んでほしかったということだけは、私の心にあります」

上水道を利用できる喜び。母親に一度でいいから水道の栓をひねってきれいな水を使ってほしかったという思い。蛇口をひねり、冷たい水が流れ出て、それを両手いっぱいにすくおうとするしぐさ。男性はこうしたしぐさをしながら、喜びを全身で現すように語ってくれた。私は講義でこのときの経験をよく語るが、男性の語りやしぐさを鮮明に思い出し、いまでも思わず鳥肌が立つ。

差別はいかに人々の暮らしや生きていく思いを侵食してきたのか。人々はいかに差別と向き合って生きてきたのか。差別とはこのようなものだと、なかば自明のものとして私の中にある理解。それがいかに薄っぺらなものであるのかを思い知らされ、崩れていく。そして、男性の語りや思いが、差別を考える新たな現実の手がかりとして、私の中で〝生き始める〟のである。

また、想像したこともないような世界や暮らしのありようを体験したとき、それまで研究者をとらえて離さなかった常識が一気に崩れ去り、そのあとを新たな価値や知識が埋めていくこともある。

なかには、調べる者を深いところから揺さぶる痛みや苦しみをともなう変貌もあるかもしれない。社会学者は、こうした変貌を「快感」とともに受容し、変貌する自らの姿をより詳細に見つめていくべきだと、私は思う。

こう書きながら、ある素敵な本を思い出す。菅原和孝『もし、みんながブッシュマンだったら』(福音館書店、一九九九)だ。

菅原さんは人類学者であり、長期にわたるフィールドワークをもとに、アフリカのブッシュマンの生活文化、言語をめぐる優れた研究をされている。

菅原さんは、この本で、自閉症である息子さんや奥さんとともに彼らが暮らす現実を訪れた経験や、自然と溶け込んで暮らしている彼らの文化や人生を、一人の〈ひと〉——自閉症の息子とともに生きる意味を問い続ける父親——の視点から語っている。さらに、これまでの彼の人生や息子との関係、家族との関係を反芻し、語っていく。フィールドから大きな影響を受け、自分と息子の関係などが大きく変貌していく姿が、快感をもって書き込まれているのである。

『もし、みんながブッシュマンだったら』というタイトルに象徴される菅原さんの思いが、この本には充満している。ぜひ一読してほしい本だ。

どのような現実であれ、「はいりこむ」営みは、確実に「はいりこむ」本人を変貌させる。しかし、それは単なる副産物などではない。変貌する自らの姿を承認し見つめること、どのように変貌したのかを読み解くこともまた、社会学者が世の中を調べることの重要な部分なのである。

第三章　あるものになる

『大衆演劇への旅』というテキスト

社会学では、さまざまな違いをもつ人々が暮らしている生活や文化に関心を向ける。ある別のテーマや問題への関心から、人々の生活や文化に近づこうとすることもあるし、生活や文化それ自体を知りたいと思い、その場にはいりこもうとすることもある。いずれにしても、ただ観察するだけでは、見たいものを見、知りたいことを知ることは難しいだろう。知りたいと思う生活や文化を生きる人々と、何らかのかたちで、一定の期間ともに暮らす。これは人類学におけるフィールドワークの方法である。

社会学においてもこれと同様に、異なる文化や生活のメンバーになり、そこでの日常を、一から体験する試みがある。研究者自身が、その現実のなかで「あるものになる」ことで得られるさまざまな知や情報から、世界を、そしておのれ自身を読み解こうとする営みである。

この章では、ある一つの作品をとりあげたい。

もちろんこれまで数多くの優れたモノグラフがあり、エスノグラフィーの完成度という点から考えれば、別の作品をとりあげ、その構成の仕方などを論じたほうがいいのかもしれない。また、ほかの一連の作品をあげ、総括的に論じてもいいのかもしれない。モノグラフを整理する知や情報が欲しいと思っている人には、そのほうが役立つだろう。

しかし、私は、この作品にこだわりたい。なぜなら、この作品には「社会学を学び、社会学を生きるとは、どのような営みなのか」という基本的な問いをめぐる著者の葛藤や心の叫びがある。アカデミックな世界だけで完結する学問的な言説としての社会学ではなく、人々の暮らしや日常と社会学が、どのように繋がることができるのかという実践への模索がある。

そして何よりも、著者が選んだフィールドで生きる人々と著者自身がどのように〈ひと〉として出会い、ともに生きることができたのかをめぐる喜びがあり、しかしお互いがどのように決定的に異質であるのかをめぐる苦悩、あきらめに似た叫びが、自分の言葉で語られているからである。

鵜飼正樹さんの『大衆演劇への旅』（未来社、一九九四、以下『旅』と略記）という本がある。五〇〇〇円近くもする高い本だ。先に言っておくならば、何とかして文庫にでもならないものかと思う。買いやすい値段になり、少しでも多くの大学生や高校生、高校の先生に読んでほしいからだ。

題名にあるように、鵜飼さんが、市川ひと丸劇団という大衆演劇の劇団に入団し、一年二カ月のあいだ、劇団員とともに旅暮らしをした記録である。

劇団の日常と、鵜飼さんがこれまで身につけてきた生活観や価値観との圧倒的なギャップへの驚きやためらい。そうした違和感を覚えながらも劇団の日常になじんでいく過程。最初、調査研究のために、と思っていた鵜飼さんが、役者になろうとさまざまに努力し、みんなから劇団の一員として認められていく過程。

一年間という約束が近づき、劇団から去ることを考えたとき、満足のいく役者になれなかった残念さ、しかし、この一年間で得た自らの社会学を創造するこだわりとでもいえる何か、劇団に入る前の自分の姿と入ってからの自分の変貌を反芻する語り、等々。日記という文体に、鵜飼さん自身の〝生きられた語り〟が詰まっているのである。

他の文化や暮らしを調べようとするとき、調べる本人があたりまえに生きてきた価値や規範などが、一つ一つ点検され、その意味が今一度考え直されていく。つまり、調べる者自体も、確実に変化していく。こうした変化のありようは、当の人間がその後どのように生きていくのかに対しても、大きな影響を与えることになる。『旅』は、まさにこのことを例証し得る意味に満ちたテキストと言える。

大衆演劇という世界で暮らしたあいだ、おそらく鵜飼さんは膨大な量のフィールドノートやメモをつけていただろう。一度それらを読んでみたい気もするが、ここではこの本をテキストとして、詳細に読み解いていきたい。

大学での社会学への違和感

当時鵜飼さんは、大学で社会学の講義を受けながら「どこかがちがう」という違和感があったという。

「それは、社会学の講義をいくら熱心に聞いても、そこに社会の現場が見えてこない、自分が見えてこない、そのもどかしさ」

「私が知りたかったのは、（シャープな切れ味に目を見張るような）講義を、研究をなさる先生ご自身はどうなのですかということだった。そういうふうに切る先生ご自身は例外的な安全地帯にいるのですか、それとも先生ご自身をもシャープに切って切って切りまくるのですか、そのどっちを選択するにしても、先生ご自身はとても苦しいのではないですか、そこをどう折合いをつけているのですか、そういうことこそが知りたかったのである」（鵜飼正樹「役者南條まさきと研究者鵜飼正樹のあいだ」『わかりたいあなたのための社会学・入門』別冊宝島一七六、一九九三、二二三頁）

「無数の無名の人びととか、喜びとか、悲しみとか、そんなきれいなことばを、すべて頭の中でしか、理屈でしか考えていなかったことが、このときはっきりわかった」（鵜飼、一九九四、一〇頁：以下、本書での『大衆演劇への旅』からの引用は頁数のみ表記）

こうした鵜飼さんの社会学への問い、人々が生きる現実への思いは、共感できる。私も大学院生のころ、同じようなことを感じ、考え、差別や排除というテーマに関心が向いていった。

切れ味の鋭い社会学の理論や現象に対する説明は魅力的だ。しかし、そうした説明が、現実に生きている人々の日常や暮らしとどれほど関連しているものなのか。私は、後の章で語るように、日常生活世界のありようを探求対象とする現象学的社会学に向かい、より経験的な研究を実践し得るエスノメソドロジー（第六章、一八一頁で詳述）へと向かっていった。

鵜飼さんは――民衆、大衆、いろんな言葉が使えそうだが――名もない人々が生きている現実、彼らの思いや感情が沸騰する場所に自らを置き、彼らの現実を調べたいと思った。

それも、他者の生きている現実を醒めた目で傍観するのではなく、その場の一員として、そこに生きている人々と思いや感情を少しでも分かち、人々と繋がれるようなかたちで「調べるわたし」がいたいと思い、ひょんなきっかけから、大衆演劇という世界に誘われていく。

尼崎にある寿座という大衆演劇の劇場。その灯が消えるという新聞記事にひかれ、寿座を訪れる鵜飼さん。市川ひと丸劇団の公演を見た後、おそらくは珍しい客だったのだろう。劇団の役者（勝富兄さん）から「見慣れない顔だが、どう、面白かった？」と声をかけられる。

「論文に書くのはいいけれど、こういう団体生活は、外から見るだけじゃわからないよ。それより、一カ月でもいいから、一緒に生活して、同じもんを食べて、街風呂へでも一緒に行ったら、団体生活のよさも、また悪さもわかる。役者さんの世界というのは、ほんとうに人情味のあるあたたかい世界。もし私が病気で入院でもしたら、それこそ全国から見舞いに来てくれるような世界よ。それに実際に触れてみて、見たこと、聞いたこと、感じたことを記録にでもつけながら、やってみたらいいと思うよ」（七〜八）

勝富兄さんの、この誘いの言葉がきっかけとなり、鵜飼さんは、あれこれと逡巡しつつも、大衆演劇の世界にはいりこみ、結果として一年二カ月の〃旅〃が始まるのである。

フィールドでの違和感やショック体験

それにしても、なぜ鵜飼さんは大衆演劇という世界へ〃旅〃しようと決めたのだろうか。『旅』を精読しなおし、改めてそう思う。

昔はヘルスセンター、鄙《ひな》びた温泉場に大衆演劇の一座が出ていた。私も子ども時代、親に連れられ、温泉にでかけたときに何度も見た記憶がある。広島に一七年暮らしていたが、市内に清水劇場があった。広島では有名な大衆演劇場だ。

特にテレビなどマスメディアにのることもない。勧善懲悪、義理人情、任侠の世界、どろどろとした愛憎劇など。大衆演劇特有の舞台があり、舞台とじかに交感しあう客がいる。その独特な世界がかもしだす〃熱〃に鵜飼さんはあてられ、誘蛾灯に集まる蛾のように、引き寄せられていったのかもしれない。社会学の言葉では、上滑りしてとらえることができない、濃密な民衆の文化や、情緒があるのではないかと。

「いこうか」「やっぱりやめようか」。逡巡しながらも天満演舞場の楽屋に入ってしまう鵜飼さん。座長や中心メンバーには話は通っているものの、劇団のメンバー全員にはわからないかもしれない。

仮に皆、鵜飼さんが来ることを知っていたとしても、「何者なのか」という好奇の視線、「何しに来るのか。それも京大の大学院生が」と〝余計者〟へのまなざしを浴びることになる。

そこからわきあがるさまざまな違和感の語り。と同時に、これからこの世界で「役者」になりながら、世界を生き、世界を調べる自分の姿への興奮が語られる。

「初めて会ったときには親切だったのに、今日の勝富さんはなんだかそっけない。言われたとおり奥の小部屋に荷物を置いて戻ると、もう勝富さんはいない。急に不安になる。若い連中の敵意と好奇のいりまじった視線をまともに浴びて、隅で小さくなるしかない」（一五）

「『おい、京大もう寝とんのけ』『鼻からコーラ流し込んだれ』そんな声が聞こえてくる」（一一三）

「勝富兄さんのおごりで、地下街の喫茶店にはいる。周囲はネクタイをしめた会社員ばかりだ。高校や大学の同級生たちの顔が浮かぶ。彼らもこうして、出勤前に喫茶店で時間をつぶしているのだろうか。ぼくがこんなことを始めたなんて、彼らは知らないだろう。彼らがおそらく一生知ることのない世界にぼくは足を踏み入れたのだ。ぼくにしても、あの新聞記事を見なかったなら、あの日寿座に行かなかったなら、足を踏み入れることはなかったであろう世界。だが、ぼくは今、その世界にいる。『南條まさき』として」（一一四）

鵜飼さんにとって、大衆演劇の幕内、楽屋に足を踏み入れ、そこで暮らすことは、本当にショック体験だっただろう。これまであたりまえのように生きてきた彼の日常が、その瞬間から意味を失い、見たことも感じたこともないような世界が否応なく迫ってくる。食事の速さの違い。銭湯で皆が風呂に入り、あがっていく早さ。劇場ごとに状況は異なるが、たとえば楽屋にあるメチャメチャくさく汚い布団への驚きなど。

「ここの布団は万年布団もいいところで、うす汚れていてメチャメチャくさい。洗ったり、干したりは二、三年まったくやっていないようだ。これから十五日間もこんな布団で寝るのかと思うといやになってくる」（二九）

「ここの環境はひどい。およそ日干ししたことのないような重い布団。しかも敷き布団しかない。掛け布団がないのだ。敷き布団を上にはおって横になる。押えつけられるような重さだ。暑いうえに湿っぽくてたまらない。トイレの臭いが下から漂って来る」（九一）

こうした劇的ともいえる日常の転倒は、楽屋に入った日に、座長――以降、先生と呼ぶように言われる――から「南條まさき」という芸名をもらう瞬間、宣言されていたのである。あなたはこれから「南條まさき」だと。この劇団の世界では、鵜飼正樹ではなく「南條まさき」として生きなさいと。もっといえば、京大の大学院生が大衆演劇の世界や大衆芸能文化を調べるためにここへ来たとしても、「南條まさき」という名をもらった以上、ここでは役者であり、役者としてまず精進しなさいと。

鵜飼さんは「南條まさき」という名を先生からもらうやりとりを淡々と描き、「幕内の礼儀」を教わり、座長を「先生」と呼び、周囲の先輩を「兄さん」「姉さん」づけで呼び、「まさき」と呼ばれることの違和感を語っている。

おそらく、このとき「南條まさき」という名をもらうことが、この先、劇団で生きていくうえでいかに重要かということを、彼は十分に感じ取れていなかったのだろう。「南條まさき」になることで、劇団の人間関係の序列の中に組み入れられ、その位置を自覚したうえで、役者としての芸を磨き、周囲との人間関係の和も保っていくことができるのだと。劇団という世界に自分の場所を見出す換えがたい記号としての「南條まさき」。

もちろん、その意味がわからなかったからといって批判するつもりなどない。逆だ。〝旅〟の最初の頃の気分の高揚や、劇団の世界に足を踏み入れ、不安になり、いったい自分が何者で何をしていいのかが、まだよくわからないあいまいな状態の鵜飼さんの様子、あいまいな存在として周りが彼をどのように見ているのかがよくわかるからだ。

調べることと暮らすこと

入団して一カ月。自分から進んで化粧を学んだり、囃子《はやし》の勉強をしたりして、必死で劇団員になろう、役者になろうとするのでもない。かといってメンバーに聞き取りなどして調査を進めるのでもない。最初に「南條まさき」という名をもらったために、役者でもない、研究者でもないあいまいな存在として、鵜飼さんは苦悩することになる。

彼にとって、何から何までこれまで経験したことのない暮らし。入団した順に序列がつき、自分より若い人間を「兄さん」と呼ばなければならない違和感。さらには彼らの語りくち、言葉づかい、普段の卑猥な冗談一つとっても、なじめないものばかりだっただろう。

劇団のメンバーになった以上、おそらくことさら優しく気遣われることはなかっただろう。早く自分たちの暮らしになじんでいくべきだ。何をもたもたしとんやろか。そんなふうに思われていたのではないだろうか。

鵜飼さんは、自分自身のありようを模索することになる。

「みつる兄は夜、一階の舞台で、先生から踊りの稽古をつけてもらっていた。（…）わずか半月ばかりぼくより先にはいっただけなのにこの差。みつる兄は先生のお古を譲ってもらって、化粧前までそろえているというのに……。ぼくは、しょせん一年しかいない、一年だけでやめていく人間としてしか扱われていない。踊りだって教えてもらえそうにないし、芝居もこれから先、ずっと子分ばかりだろう。裏方の囃子がお似合いだ。
化粧の練習をしようかと思ったが、ばかばかしくなってやめた。早く、少しでいいからぼくにも踊りの稽古をしてほしい」（四六）

「しょせん一年しかいない」存在。だからこそ先生も踊りの稽古すらつけてくれない。芝居の稽古もない。先生もみんなも自分のことをそうみているのだ、という何かすねたような、斜《はす》に構えた気持ちが鵜飼さんに満ちていく。

そして、こうしたあいまいな存在の鵜飼さんに対して、先生や勝富兄さんたちは厳しく注意し、早く自分たちの世界に入ってくるようにアドバイスするのである。

「『まさき、おまえこのごろおかしいぞ。いつもひとりで考えごとをしてるやないか』（…）『もっともっと積極的に化粧でも何でも稽古せにゃあ。自分からすすんでやらんと腕も上がらんぞ』（…）『ええか。わしらは、おまえの先生からも、お父さんからも、よろしく頼みますと言われて引き受けとるねんや。おまえがここに一年いて、自分で何かひとつでもつかんでくれたらよいと思てる。そやけどな、わしらもおまえが一年ここにいて、わしらにとってもよかったなと言えるようになりたい。そのためにはもうちょっとがんばってくれんとな』『はいってひと月ぐらいは、だれでもホームシックになるときもある。おまえは引っ込み思案なところがあるようだけど、ここには二代目やみつるや、同じくらいの年の若い連中がおるやないか。二代目とは生年月日まで同じやろ。何でも相談したらいい。遠慮はいらん。ひとりで考えごとばっかりしとらんと、下に降りてきてみんなと話でもしたらどうじゃ』(…)逃げるようにして三階の自分の部屋に上がる。どうしてこんなことまで言われなければならないのだろうか。別にぼくは本当の役者になる修行に来たわけでもないのに。劇団の人びとの生活を知りたいと思って来ただけなのに。だからチョイ役で舞台に立てればそれで充分なはずだ。いちいちこんなことまで干渉されてはたまらない」(四八～四九)

鵜飼さんの不安、がんばってもしょうがないというばかばかしさやあきらめ、でもなんとかしなければというあせりや迷い。自分に対して何もしてくれないのに、何でそこまでいわれるのかという苛立ち。こんな感情が日記に語られていく。

「ぼくがこんなに悩み迷っている、そのこともひょっとしたら自己満足に過ぎないのだろうか。わからない。わからない。自分のことを考えれば考えるほどわからなくなる。ホテルの三階のロビーからは、真下に手にとるように富山大学が見える。京大に帰りたい、家に帰りたいと思う。一年は長すぎる。一カ月で充分だった」（五〇）

「七時から踊りの稽古。足の運びがうまくできない。自分でもヘタだと思う。このごろわからなくなる。ぼくは大学院生である前に役者であるべきなのか、それとも役者である前に大学院生であるべきなのか。南條まさきと鵜飼正樹のあいだ――。

そもそもぼくはいったい何ものなのだろう。いや、でも、それをみつけるためにこそ、こんなことを始めたのではなかったのか。富山に来れば少しは時間ができるので、聞き取りでもしようと思っていたが、フィールドノートはほとんど埋まっていない。もう一カ月近くになるのにこれではダメだ」（五三）

メンバーとして認められる

しかし、時がたつにつれ、鵜飼さんのなかで、劇団のメンバーとしての日常がつくられていく。最初、買い物に出たときは、行儀悪く、わがもの顔で歩くメンバーを恥ずかしく思い、思わず距離をとる。だがメンバーの普段の行動や言葉づかい、ふるまいに浸り、次第に鵜飼さんは慣れていく。

大学での暮らしであれば、絶対に使わない言葉づかいに驚き、女の子に卑猥な声をかけている自分に驚き、複雑な気持ちになる。初めてパンチパーマをあて、「カッコええぞ」と評価され、戸惑う鵜飼さん。身につける服や下着の選択に変化が生まれ、普段の格好や身なり、言葉づかいなどが具体的に、メンバーの一人として変貌を遂げていくのである。日記には、こうした日常での微細な変貌に驚く語りが書き込まれ、興味深い。

ホテルの倉庫に缶コーヒーの箱が積んであるのをみつけ、思わず缶コーヒーを失敬する鵜飼さん。二代目さんはその行為を評価する。

「『どないしたんや。おまえがおごってくれるのけ』『倉庫の中にあったたんで、ちょっと失敬してきたんです。まだぎょうさんありました』『失敬してきたて、きれいごというても、パクッてきたんやろ。もっととってこんかい』ということで、結局缶コーヒー三十コ入りひと箱を『失敬』してきた。（…）そのときの二代目さんのひとことが、ズシリ、重かった。『こ

れでおまえもわしらの仲間やな』複雑な心境。悩む」（五五）

二代目さんとみつる兄と一緒にパーマをあてにいく鵜飼さん。「ホテルに帰るとみんな『役者らしくなった』『かっこええぞ』と言ってくれたが、鏡で見るかぎりは奈良の大仏みたいな顔で、あまり似合っているようには思えない。これが二時間前の自分と同じ人間かと思うような変わりようである」（五九）

「夜中に、二代目さん、みつる兄と車で富山市内随一の盛り場、桜木町へ出てみるが、雑居ビルがポツポツ並んでいるだけのつまらないところだった。『何かおもろいことないけ』帰り道、遠くに二人組の女の子の後ろ姿。近寄って卑猥なことばを投げかける。女の子たちは知らんふり。さらに車を近づけると、急に走って逃げ出し、暗い路地に逃げ込んでしまった。こんなことをするのは初めてだったが、おまえも何か言えと言われてぼくも思わず『ねーちゃん、オメコしょーか』とスケベなことばを浴びせていた、ああ、良識ある大学院生のぼくはどこへ行ってしまったのだろう。暑い一日だった」（六〇〜六一）

「三宮からの帰り、明石駅前のスーパーに立ち寄り、パンツ、サングラス、甚平を買う。甚平は、背中に写楽の浮世絵のはいった大胆なデザインのもの。以前のぼくなら手に取ることもなかっただろうが、今は着ることにさほど抵抗感はない」（七四）

「早く終わったので、一時半ごろから倉吉市内まで買物に出かける。ぼくは便箋、ノート、レポート用紙、ペン、それにブリーフ三枚を買った。このブリーフは、後ろに浮世絵や唇などハデな絵柄のはいったもの。大学にいたときにはずっと白の無地しかはいていなかったのに、これは大いなる進歩だ」（一八四）

メンバーとして認められるなか、鵜飼さんの認識は変貌し、劇団で認められたい、役者になりたいと思うようになるのである。

「今日は終戦記念日。大学のことが頭をかすめる。しかし、以前ほど帰りたくてたまらない思いはない。むしろ、劇団を離れることの方が、今のぼくにとってはさみしいことだ。劇団の中で少しでも認められたいと思う」（二〇九）

懸命に役者になろうとする

最初の一カ月ほど、鵜飼さんは劇団の暮らしに慣れず、苦悩し、大学に帰りたいと思う。しかし、次第に他の座員からメンバーとして認められ、彼に対する承認が、今度は鵜飼さんに、役者になろう、役者としてがんばろうという意識を引き起こしていく。

『旅』には、毎日のように芝居や踊り、囃子をめぐる語りが登場する。半月あるいは一月代わりで劇場やヘルスセンター、ホテルに移動し、毎日のように公演するのだから、それは当然のことだろう。鵜飼さんのような若い役者たちは、楽屋で寝泊まりする。それこそ四六時中、同じ座員と日常を暮らす濃密な人間関係の世界である。

そしてその濃密な関係を序列づけ、秩序だてるのが、芝居や踊りの技量であり、ひいきをつくり、観客を魅了する芸のうまさなのである。

鵜飼さんは最初、ショーの囃子のミスが多く「もっと性根を入れてやれ」と叱られ、「ぼくは本職の役者になるわけでもないのに、どうしてこんなに怒られてまでやらなければならないのか」(三八～三九)と不平を鳴らしている。

あるとき、大衆演劇の舞台が座員全員の力でできあがっていくことを実感し、「二流の芝居」となめていた自分を反省する。役者になる意味、自分がなぜいま、ここにいるのか、いま、何がしたいのかに気づいていく。そして、少しでもうまい役者になりたいという意欲がうまれ、この世界を調べたいという気持ちや冷静に眺めようとするそぶりを、いとも簡単に超えていくのである。

「ぼくの正直な気持ちをいえば、タカ坊には役者になってもらいたくない。タカ坊が役者になったら、芝居でもきっとぼくを飛び越していい役がつくに決まっているからだ。たいしたこともできない、生意気な十五やそこらのタカ坊がいい役をやっているときに、ぼくが囃子をやっているさまを想像するだけでも腹が立つ」（六六）

役者として、少しでもいい演技がしたい、と願い、自分より若いほかの座員が厚遇されるのを見て、嫉妬し、ライバル視する鵜飼さんの端的な語りだ。この鵜飼さんの姿は、役者に「なろう」とする姿であり、劇団の日常を「生きる」駆け出しの座員の姿である。

「最近ようやくましな化粧ができるようになったし、秀美姉さんからゆずってもらった化粧品もかなりへってきたので、思い切って買うことにする。(…)先生が『まさき、よう買うた。それでこそ役者や。わしが半分出したる』と、三〇〇〇円も支援してくれた」(一一四)

鵜飼さんは最初、勝富兄さんに化粧をしてもらうが、そのときの感想は「他人に顔をいじられるのはいやだ」「スポンジではたかれるのは痛い」「まつ毛に白粉《おしろい》がつくのがたまらない」「羽二重がきつく締められて痛い」などと、否定的なコメントばかりである。

しかし化粧は、役者に「なる」ためにはどうしても必要な営みだ。それも自分で仕上げ、自らをもっともきれいにみせるよう、いわば独自の方法を身につけなければならないのだ。思い切って自分で化粧品を買おうとする鵜飼さん。受身ではない。初めて自腹を切って、自らが判断し進んで、役者に「なる」ための投資をしたわけだ。

この具体的な行為は、先にあげた文句と対照的だ。先生は、「役者」になろうと一歩前に出る鵜飼さんの姿を見逃さず「それでこそ役者や」と金を援助してくれたのだろう。

「周囲は田んぼだらけ、遊びに行くところとてないから、稽古しかやることがない。また、今のぼくにとっては、どんなに叱られても、稽古してもらえることはうれしい」(一一四)

「それにしてもよく稽古したセンターだった。芝居十一本、踊り八本。完全にマスターしたわけではないが、これで出番のない日はなくなるだろう。天満演舞場、朝日劇場と関西でも格の高い劇場公演が続く十月の大阪興行も、当分の間稽古なしでやっていける。

自分でも、化粧はほぼ納得ができるようになった。囃子もキッカケをはずすことはまずなくなった。芝居はまだまだだが、自分の欠点がわかったし、笑われることも少なくなった。踊りも『だいぶカッコようなった』と言われるようになった。大阪では、何とかマンガを卒業し、お客さんのひとりでもついてほしいものである」（一三九）

稽古の量が役者の質を決める。『旅』を読み、私はそんなことを感じることができる。『旅』の前半に満ちていた、あいまいな自分の姿に苦悩していた語りとは対照的に、後半には、稽古ができるうれしさ、充実した稽古ぶり、にもかかわらず相変わらず舞台でミスをする自分のなさけなさ、それでも、なんとかもっとうまくなりたいと自分を叱咤激励する語りや、少しでも「カッコいい」役者になりたい、という意欲の語りに満ちている。

そして、鵜飼さんがヘマをしながらも「役者」になろうと努力するなかで、他の座員たちも彼に対し「役者」として、より高い水準を要求し、さらに鵜飼さんはさまざまに怒られることになる。これは、最初の頃の囃子のミスへの怒りとは、明らかに異質なものだ。

「しんみりとした場面で、やさしい心配りをする役なのに、あわてすぎ。しかもどうしたことかお客さんに笑われた。昼夜二回とも全然ダメ。『おふくろがやっとったときは、あそこでバリバリ手ェ取ったんや（著者注：拍手をもらう）。いくらおまえが未熟でも、最低一回は手ェ取らなあかん。何ちゅうザマや』（二代目さん）『あんな火の用心があるか。テレビの時代劇を見とらん証拠じゃ。もっと勉強せにゃあ』（勝富兄さん）」（一四九）

「『おい、ガッチャマン（芝居をガチャガチャにするやつという意味の、二代目さんにつけられたアダ名：注より）、おまえもうちょっと新二郎を研究せえ。五日間、まったく一緒やないか』と二代目さんから。『もう七カ月になるんか。ぼちぼちせりふの生かし殺しができるようにならんといかんぞ』と勝富兄さんから。ガックリ」（一七二）

そして、とうとう「南條まさき」は、舞台の花道の入りのとき、手を取ることになる。

「このせりふと、それに続く花道の入りのとき、客席から大きな拍手が起こった。やったー！　ぼくの芝居に手が来た！　満足感を全身に感じながら、しかし芝居の上では肩を落としショボショボと歩みながら、ぼくは花道を引っ込んだ。（…）もちろん、まだまだせりふの抑揚をつけるにはほど遠い。思い切り大きな声を出して、ヤマをあげたというだけだ。それでも、ぼくの熱が客席に伝わって、それが拍手となって返ってくる。コツをつかんだとか、腕が上がったとかはとてもいえないが、ひとつの壁を乗り越えた実感がする」（二二四〜二二五）

フィールドとわたしのせめぎあい

『旅』というテキストは、エスノグラフィーとしてはかなり異質だろう。そこには大衆演劇の舞台がどのように構成され、演技や踊りなどの稽古が具体的にどのように行われるのか、などの詳細な分析はない。また、劇団員の日常を整理したかたちで述べる記述もない〈鵜飼さんは、このときの経験をもとに大衆演劇における演劇的な身体がどのように構築されるかについて、別の論文を書いている〈鵜飼正樹「大衆演劇における芸能身体の形成」福島真人編『身体の構築学』ひつじ書房、一九九五年〉)。

この『旅』というテキストは、鵜飼さんという「わたし」が、いかにして「南條まさき」という役者になろうと苦闘したのか、苦闘のなかで「鵜飼正樹」という人間が、いかに自分自身を見直すことができたのか、という、いわば大衆演劇という世界と「わたし」がいかにせめぎあっていたのかを語る〝わたし語り〟が中心なのである。

たとえば二代目さんや先生、勝富兄さんなど、他の役者のライフヒストリーなどの詳細な解読は、『旅』には書き込まれていない。もし大衆演劇という世界を知ろうと思い、またそれを伝えたいと考えるならば、その世界を構成するメンバーの人生をも含めた解読は必要な作業だろう。この意味で『旅』は、中途半端なエスノグラフィーといえるかもしれない。

いや、中途半端という表現は適切ではない。

自らが見たい、明らかにしたい、多くのほかの人々に伝えたいと考える大衆演劇の世界のある部分を意図的に語らず、世界を生きてきた「わたし」に焦点をあて、「わたし」との繋がりのなかで語り得るものを「わたし」の思いや情緒、当時の気分にできるだけ正直に語ったエスノグラフィーなのである。いわば〝わたしさがしのエスノグラフィー〟なのだろう。

『旅』をじっくりと味わうとき、鵜飼さんが語るフィールドと「わたし」のせめぎあいがとても興味深い。

約束の一年が近づく頃にようやく若い役者として認められるようになり、「南條まさき」をひいきにする女性も現れる。彼女とのやりとりなど、あたかも大衆小説を読むような気分になり、思わず引き込まれてしまう。

もちろん、こうした個人的な語りも魅力だが、フィールドと「わたし」のせめぎあいを考えるとき、鵜飼さんの変化、それも役者に「なる」ことをめぐる変化、さらに「役者」を「生きる」ことをめぐる変化が、私をひきつけるのである。

たとえば鵜飼さんは、囃子をめぐり、さまざまに語っている。

最初の頃、二代目さんから「囃子を早くマスターすべき」と注意され、翌日の公演のためのテープ録りに夜遅くまでつきあわされることになる。

「『とにかく性根いれてやれ。ええかげんなことをやったらわしがこらえへんぞ』と言う。疲れて眠たかったのにこんなことにつきあわされて、しかもえらそうに言われてぼくは少し腹が立った」（一二二）。

このとき鵜飼さんにとり、囃子の準備は「こんなこと」だった。それが芝居を創造するうえでもつ意味は、当然のことながらまだわかっていない。その姿を鵜飼さんは、隠すことなく語っている。

「囃子だけで手を取る、こんな体験は初めてだ。芝居で手を取るのもうれしいが、裏方の囃子で手を取るうれしさは格別だ。

芝居をよくするのも悪くするのも囃子次第である。芝居をやっていて、こういう音がほしいなというところでまさにその音をかけるというのはけっこうむつかしい。舞台に立っている人の気持ちにならなければ、舞台に立つ人の呼吸がわからなければできないことである。それがようやく最近少しできるようになったかなと思う。そして、囃子がバッチリいったときには、ほんとうに気持ちがいい満足感が体中に広がる。拍手がそれに続けばもういうことはない。このごろ囃子がとてもおもしろくなってきた」（一四四～一四五）

『旅』の後半での鵜飼さんの語りだ。なんと対照的だろうか。「囃子だけで手を取る」ことができた自分への賞賛。そのうえで彼は、芝居がうまくいくためにいかに囃子が重要なのかを、自らが納得するように語っているのである。

「舞台でのぼくの欠点。『粋さ』がない。オドオドして小さく見える。踊りのときにアゴを出す癖がある。アゴを出すな！　アゴを出すとオカマっぽく見えるぞ。せりふひとつにしても、あれこれいらんことを考えすぎる。芝居は理屈でやるものやない。おまえらぐらいのときは、役柄を考えても仕方がない。いらんことを考えるより、ただガムシャラでやれ！とはいうものの、やっぱりせりふの意味だとか、こんな展開は理屈に合わないだとか、そんなことにまず頭がいってしまう。そういうかたちでしかものごとを考えられない自分が悲しい」（一五八）

こうした語りは、明らかに大衆演劇という世界を調べようとする語りではない。毎日の芝居や稽古の連続（まさにこれが鵜飼さんにとってのフィールドなのだが）のなかで「役者」に「なろう」とする鵜飼さんが、思うように上手な役者になれないことを率直に反省する語りなのである。

知が邪魔をする

ところが、鵜飼さんは、「役者」に「なろう」とすればするほど、自分自身が大衆演劇という世界で「生きる」ことが難しい、つまり「役者」を「生きる」ことができないのではないか、という根本的な疑問にとりつかれるのである。

大阪、新世界にある浪速クラブ。鵜飼さんは、そこの観客に特有の個性を語るが、翻《ひるがえ》って、それは彼自身に内在する問題性を撃つことになる。

「前に乗ったときの『半面美人』といい、敵役が徹底的に弱い者をいじめ、それを立役が救うという、ぼくの目からははっきりいって単純すぎておもしろくない芝居が、浪速クラブではバカみたいにウケるのだ。お客さんが単純で、程度が低く、簡単に芝居にのめりこんでしまうから、ぼくのような高等教育をうけたインテリには満足できないような芝居がウケるのだと考えることはできる。しかし、芝居にのめりこまず、いつも適度な距離を保って批判的に鑑賞するインテリとはいったい何なんだろう。そういうふうにしてしか芝居が見られないというのは、とてつもなく不幸なことではないだろうか。知識は一見人を自由にするように見えて、実は人を抑圧するのかもしれない、高等教育をうけることで、ぼくの中から確実に

失われていった何か。そして、もう二度と取り戻せない何か。ぼくは今それを痛切に哀惜する」（二四四〜二四五）

また、日本舞踊の名取である友人の母親から「なんかちょっと恥ずかしそうに踊っているみたい」という自分の踊りの印象を聞いたとき、鵜飼さんはこう語っている。

「恥ずかしそうに踊っているというのは、（…）心にズキンとくる指摘だった。というのは、いまだに踊りも芝居も、ぼくは、自信をもって思い切りやってみるということができないのだ。いつもまちがえるのではないか、まちがえるのではないかという不安が先にたつのだ。（…）失敗しても平気でシラを切りとおすということができない。（…）同じようなことだが、クサイ芝居やせりふはいまだにやっぱり照れくさい。大衆演劇の醍醐味はこのクサイ芝居やせりふにこそあるのだとわかっていてもダメなのだ。芝居の最中でも自分で自分が恥ずかしくなって、心の中でブレーキをかけてしまう。その結果、いつも中途半端な芝居しかできないのだ。（…）問題はもっと根深いところにあるように思う。それは、教育の問題だ。ぼくは、最高学府の、それも日本で最高といってよい大学で教育を受けてきた。（…）そこで一貫して教え込まれてきたのは、ものごとをまず頭で、理屈で理解しようという姿勢である。(…)けれども、頭で理解することと、体を動かすこととはまた別なのだ。(…)むしろ、初歩の段階では『理屈抜き』のガムシャラさこそが重要なのだ。それこそがぼくに欠けている決定的なものである。(…)鵜飼正樹はとうとう南條まさきになりきることができなかったのか」(三三〇〜三三一)

勧善懲悪がわかりきったような歯の浮くセリフ。いわずもがなの親子の情愛、兄弟の愛。金が絡んだどろどろとした人間の憎悪、利害打算。絵に描いたような恋人への情愛、等々。鵜飼さんがいう「大衆演劇の醍醐味」は、〃わかっているけど、今一度確かめたい何か〃〃人が生きていくうえで味わいたい何か〃〃生きていくうえで二度と味わいたくない何か〃など、「名もない人々」の生活と切り離し得ない知や情を率直に表現し、観客の反応とともに確認していく営みなのだろう。

そして鵜飼さんは、こうした知や情に素直に反応できなくなっている自分の頭や身体を嘆くのである。

京大という「最高学府」で最高の高等教育を受けたから、「理屈抜き」で身体を動かせず、セリフも語れず、そこに満ちている「クサイ」情や知をそのまま恥ずかしげもなく表現することができないのだろうか。

語りのうわっつらだけを読めば、なんか自分のエリートさをひけらかし、そのうえでエリートであることを嘆いている、そんな嫌らしさが伝わってくるかもしれない。でもそれは明らかに誤解だ。

「名もない人々」の現実からたちあがる社会学を模索したい。そのための手がかりとして大衆演劇という世界にはいりこむ。それはただ現実を調べるという営みだけにとどまらず、鵜飼さんという人間が〝自分とは何か〟を見つめ、〝自分をさがす〟営みでもあった。

「役者」に「なろう」と懸命に努力するなかで、大衆演劇がもつ奥深い、底深い人間の匂いを感じ取り、なんとかそこへ触れようとする。そのためには、理屈ぬきで、ただその匂いを味わい、自信をもって、それを演じればいいのかもしれない。

しかし、鵜飼さんが鎧《よろい》のように身につけてきた知が見事に邪魔をする。人間の匂いをそのまま感じ取り、演じたい。だが他方できちんと理屈でもって現実を把握したい。この二つの欲求のはざまで、そのどちらも満足いくようにできない歯がゆい自分。

もちろん鵜飼さんはただ苛立《いらだ》ち、嘆いているだけではない。「役者」に「なろう」と一年がんばった結果、大学にもどり、新たに社会学を学び、実践するための「手ごたえ」も感じ取っているのである。

劇団から去るときが近づき、二代目さんから鵜飼さんへの思いが語られる。最初誰も期待してなかった。だがいじけずようがんばった。おまえにはおまえの道があるからしゃあないが、ほんまの気持ちをいうたら、やめんとってほしい、うちにいてほしい、と。

鵜飼さんにとって、心に染みる言葉だっただろう。ともに「役者」を「生きよう」というメッセージ。これは「大学院」という異世界からの闖入者《ちんにゅうしゃ》が大衆演劇の世界でみせたがんばりへのほめ言葉であり、去っていく者への優しい心遣いだ。

「正直言うて惜しい。こいつが高校だけ出て来とるんやったら、無理矢理にでも引っぱって連れて行く。そやけど、はじめから大学に戻ることが条件や。ここにいたことがまさきにとって何かのプラスになったらそれでよい、とわしは思とる」(二三六～二三七)

お別れパーティでの先生の言葉も私の心に突き刺さってくる。「高校だけ出て」きているのであれば、私が一人前の役者、そして一人前の人間にしてやるという先生の自負と責任の語り。大衆演劇の舞台裏にどのような人間の〝生きざま〟〝息づかい〟が満ちているか、その厚みを象徴するような言葉ではないだろうか。

あるものに「なろうとし続ける」

『旅』というテキストから、私たちは何を読み取ることができるのだろうか。

鵜飼さんは、「あとがき」で、自分が「南條まさき」になりきることができなかったことを反省しつつ、一年二カ月の〝旅〟の意味を解読している。

いったい自分とは何者で、これまで生きてきた歴史や世界の中で、何を得て、何を失ってきたのか。大衆演劇という世界で、多くのショック体験を経て、自分の変貌に向き合うことになる。

すでに述べてきたように、『旅』は、〝わたしさがしの旅〟であるとともに〝大衆演劇という世界への旅〟であった。

この二つの〝旅〟は、自分を安全な場所にかくまったままで行えるものではない。常に「いま、ここ」で自分を危うさにさらし、大衆演劇の「もう一人のメンバー」に「なろうとし続けること」で初めて可能になるものであった。そして鵜飼さんは、自らの内にある異質なものと向き合い、「役者を生きること」と「役者になろうとすること」の違いを実感していくのである。

「何ものかに『なりきる』ことなどできるのだろうか?　それこそ錯覚ではないのか?」(三四二)。

この問いは、〝旅〟の多様な体験から搾り出されたリアルな問いだろう。

私もできないのではないかと思う。特に大衆演劇のような世界に限定する必要もない。たとえば私は父親に「なりきって」いるのだろうか。普段の暮らしで自分がいかに生きているのかをちょっと反省してみれば、そうでないことが実感できるだろう。

「なりきっている」という実感が危ういものであるからこそ、あるいは実感をなんとかして味わいたいと思うからこそ、私たちは、暮らしのなかで大切だと感じ、考える場で、何者かに「なりきろうとし続ける」のではないか。

おそらく、大衆演劇の世界で役者を生きる人々も、「なりきった」瞬間などないだろう。そうした瞬間を味わおう、実感してみたいと思い、日々精進し、さまざまに工夫し、生きているのではないだろうか。

「なりきろうとし続ける」営みは、大衆演劇の世界に固有のものではない。私たちが普段あたりまえのように暮らしている日常という舞台こそ、こうした営みが満ちているのである。

私は普段、どのように「父親」を演じているのだろうか。大学の「教員」を演じているのだろうか。世の中を生きている人々の多くは、どのようにして、それぞれの役柄を演じているのだろうか。役柄にこめられた中身を適切に演じきることで、いったい誰から「手を取ろう」としているのか。また「手を取る」ことをうれしく思うのだろうか。

私たちは、暮らしの場でさまざまな役柄を演じ続けているが、なんの疑いもなく適切に個々の役柄になりきっているわけではない。むしろ役柄と自分の存在との距離や隙間が常に気になっているのではないだろうか。

この「なりきろうとし続ける」営みこそ、そして役柄と自分の存在の間にある距離や隙間こそ、社会学が世の中を調べるうえで読み解くべき、基本的、かつ核心的な対象なのである。

第四章　聞き取る

「透明人間」にはなれない

社会学で世の中を調べようとするとき、研究者は調べたい現実に「はいりこむ」。また、調べたい現実で「あるものになる」。ほかにも、「聞き取る」という営みをよくする。聞き取るとは、いったい何をどのように「聞き」、どのように「取る」のだろうか。その営みについて、ここでは考えてみたい。

たとえば、ある町や村、地域の歴史を調べようとするとき、まず考えられるのが文書の形をした資料を調べるということだ。ただ社会学者が気になるのは、文字の形で残されたものだけではない。というより、むしろ人々がある時代、ある場所でどのように暮らしてきたのか、人々が当時を生きていた具体的な「生きざま」「思い」「情緒」などを、できるだけ生き生きとしたかたちで知りたく思うのである。

そこで暮らしてきた人々の日常生活や文字に残らない伝承、事件、できごとの記憶、生活の知恵などをめぐり、社会学者は、実際に彼らと出会い、語られる中身、語りくちを丁寧に聞き取っていきたいと考えるのである。

また、人々に苦しみを与える社会問題や、生活で起きている不条理なできごとをなんとか解決したいと、さまざまに運動している人々がいる。

社会問題から受ける彼らの苦しみとは、具体的にどのようなものなのか。同じような経験をしている人々と苦しみを共有し、立ち向かい、乗り越えていくために、どのような生活の論理や情緒を創造しているのか。問題の解決をめざし、どのような運動を展開しつつあるのか。その運動がもつ効果は何か。運動が孕んでいる具体的な問題や矛盾はどのようなものなのか。

社会学者は、社会問題、社会運動をめぐり、さまざまな問いをたてるだろう。

そうした問いの中核にあるのが、問題や運動を生きている人々のさま、なのである。そして、社会学者は、できるだけ多くの当事者と出会い、彼らの語る内容、語りくちに耳を傾けようとする。

また、世の中には、さまざまな少数者（マイノリティ）が暮らしている。同性愛者、在日朝鮮人、被差別部落の人、外国人労働者、ひきこもりの人など、世の中には、マイノリティとされる人々を一括りにして呼ぶ言葉がある。その言葉には、支配的な文化や価値を生きている人々があてはめた勝手な意味がこめられている。はたしてマイノリティとされる人々は、こうした言葉や言葉がつくる決めつけに対して、どのように対抗し、せめぎあって生きているのか。あるいはこれをどのようにすり抜け、揶《や》揄《ゆ》しつつ生きているのだろうか。

世の中がもつ差別的なものを考えたいと思う社会学者は、このような問いをたて、マイノリティとされる人々と、彼らが暮らしている現実と出会おうとする。

このように、世の中の歴史、構造、問題、差別などを調べようとするとき、社会学者は、当該の現実を生きている人々と出会い、彼らの語りを「聞き取ろう」とする。

ただ、何に関心をもとうとも、「聞き取る」という営みがもつ、決定的に重要な点がある。それは、話を聞き取ろうとする人は、自分が想像しきれないような、あるいは想像を超えてしまっているような経験をもつ他者と具体的に面と向きあうということである。普段あたりまえのように生きてしまっている自分の日常とは、まったく異なる文化や社会、生活を生きている他者と正面から出会うということである。

では、「聞き取る」という営みのなかで、自分は他者とどのように出会っているのだろうか。あるいは他者とどのように出会えばいいのだろうか。

すぐに思いつくのは、自分が「透明人間」になるということだろう。相手の話を聞いているのにもかかわらず、あたかも空気のようにふるまうことができれば、相手は自分を気にすることなく、好きにしゃべることができる。自分も相手の経験をよく聞き取れるはずだ。

しかし、何かイリュージョンでも使わないかぎり、そんなことは実現不可能だ。とすれば、相手の語りを妨げることがないようにかぎりなく「透明人間」に近づく努力をすればいいのだろうか。

なるほど、そうすべきだと思うかもしれない。でもこうした発想、努力は「聞き取る」という営みを考えるうえで、やはり奇妙なものだ。

自然のなりゆきで異なる経験を生きてきた他者とすれちがうのではない。商売上の目的など何か別の目的で相手と相談したり、交渉したりするのでもない。

「聞き取る」という営みは、目の前にいる相手の「生きてきた歴史」「いま生きている固有の経験」を知りたく思い、そうした語りを、他でもない目の前にいる自分に語ってほしいと相手に要請することなのである。

そのような要請がある場で、自分が「透明人間」――姿かたちはまったく相手に見えないけれど、相手からの情報はくまなく吸い取ろうとするマシーン――になろうとすれば、相手はどう思うだろうか。

「あんたは、私の話ばっかり聞きだそうとして、いったい何者なんだ、あんたは私の話をどのように思い、どう聞いているのか、ちょっとは自分のことも話したらどうか」

私だったら、こう思い、「透明人間」になろうとする相手にいらだつだろう。

「聞き取る」という営み。それは、単に相手の話をどのように聞き取るのかということだけが重要なのではない。

それは、相手と語り合い、その語りを手がかりとして、相手の「生きてきた歴史」をできるかぎり深く想像し、相手の現実にいたろうとする営みである。

同時に相手にとっては、何のために自分がいま目の前にいるのか、ただ調査目的を知るだけでなく、聞き手がその目的を重要だと考えるより深い〝わけ〟を、自分の「生きてきた歴史」を垣間見ることから想像しようとする営みとなる。

「聞き取る」という営みの核心は、相手と私が語り合い、お互いをまなざすという濃密な時間をどのように生きるのか、ということなのである。

「あなたはどのような差別を受けてきましたか」

こう書きながら、私自身の若いころの失敗を思い出す。「聞き取る」という社会学的な営みについて講義やゼミで説明するとき、かならず思い出し、学生たちに語るものだ。

大学院の博士課程に入りたてのころ、私は差別問題を研究したいと真摯《しんし》に思い、かなり熱意にあふれていた。もちろん今もその思いに変化はない。ただ若いころと今と比べ、大きく異なっている点がいくつかある。

その一つが〝正義〟の側に立ちたいという思いへの硬直した囚われかもしれない。当時私は、差別をなくしていくために少しでも役立つ仕事がしたい、そのためには差別とはいったいどのようなものなのかを、より深く知りたいという思いがあった。そうしたとき、年配の先生たちと一緒に、被差別部落へ聞き取りに出かけたのである。

このときの聞き取り調査の成果は、福岡安則・好井裕明・桜井厚他編著『被差別の文化・反差別の生きざま』（明石書店、一九八七）としてまとめられている。

もう二〇年以上も前の聞き取りであり、詳細は記憶の彼方《かなた》である。だが、先に「失敗」と書いた、ある場面が生き生きと思い出される。

集会所で高齢の女性二人からお話をうかがった。彼女たちは、私たちを歓迎してくれたのか、肉のにこごりを作ってもってきてくれた。私もいただいたが、すごくうまいものだった。私はにこごりのおいしさに感動しながら、他の先生たちにまざって聞き取りを始めた。

「○○さんは、これまでどのような差別を受けてきましたか」。「そんなん、差別なんか受けたことおませんわ。ここはええ村やし」と微笑みながら、私の問いかけを軽くいなすかのように無視をして、自分が小さかったときの村の様子やこれまで生んで育ててきた子どものことを女性たちは語っていった。一人はとても饒舌に、いま一人は、とつとつと一つ一つ言葉を選ぶように。

「ほう、で何人お子さんがいらしたんですか」など、他の先生たちは、彼女たちの語りを受けて、聞き取りを進めていった。女性たちの語りはとても興味深いものだった。

ただ、私は先の問いかけをいなされてから、どのように問いかけていけばいいかわからず、いわば〝かたまった〟状態になり、ニコニコと微笑みながら、せっせとうまいにこごりを食べ続けていた。

確かににこごりはうまかった。でも私の微笑みは〝かたまって〟おり、あたかも自然に話を聞いているという姿勢をとり続けようとした〝疲れ〟が思い起こされるのである。

「決めつけ」をおしつける失礼

なぜ私は、そのとき〝かたまり〟〝疲れた〟のだろうか。他の先生に比べ、若造であり、まだ聞き取りの場数を踏んでいなかったからなのか。確かにそれもあるだろう。しかし、もっと根本的なところで私は「失敗」していたのである。

「あなたはどのような差別を受けてきましたか」

私が、あたりまえのようにこともなげに女性たちに問いかけた言葉。この言葉や私のふるまいは、いかに相手に対して失礼で、傲慢《ごうまん》であっただろうか。当時、そんなことに気づく余裕はなかった。

被差別部落に出かけ、そこで生きてきた人々の生活史を聞き取るという調査。調査に協力し、自らの生きてきた歴史を語ってくれる人々。彼らは被差別部落に生まれ育ち、生活をしてきた。だから差別を受けているにちがいない。彼らの語りから差別を受けてきたことがそのまま語られるだろうし、その中身を私は聞き取り、整理していけばいいはずだ。おそらくこのような理解で私は聞き取りに向かったのだろう。

それにしても、聞き取りという場に対する、なんと平板な理解だろうか。部落差別、部落問題という現実への、なんと偏って硬直した想像力だろうか。人々の暮らしに対するなんと貧しい想像力だろうか。これを書いている今も、当時を思い出し、思わず赤面してしまう。

私は大阪市内で育ち、小・中学校時代、周りに大きな同和地区があった。そこからかよう友だちもいた。六〇年代後半から七〇年代、盛んに行われた解放教育を受け、部落問題、部落差別とは何かについてそれなりのイメージや理解があった。社会学の大学院に進み、差別問題の社会学を専攻しようと決め、多くの専門書、調査研究も読んでいた。

そうした経験から私の中でできあがっていたイメージ。たとえば賤称語を浴びせかけられることが差別だと。それは、いかに狭く硬直したものだっただろうか。

部落差別をめぐる硬直化したイメージと理解があり、そこには明らかに当時意識できなかった「決めつけ」がある。私は自らが抱いていたイメージや理解に見合う話を「聞き取ろう」「探し出そう」「吸い取ろう」として、うまくいかずに〝かたまって〟しまっていたのだ。「受けた差別を教えてください」などと、いかにも客観的な装いの問いかけをしながら、勝手に作り上げていた「決めつけ」を相手におしつけようとしていた私の営みがあった。それは失礼で傲慢であり、「聞き取る」という営みがもつであろう濃密な時間をすごそうとしていない姿である。

こうした私の姿を「あんた、失礼なやつやねぇ」などと批判しないで、微笑みながら、おばあさんたちは見事に私をいなしていったのである。ただ、彼女たちの微笑みの語りには、普段の暮らしの中で「差別を受けて、対抗し、生きてきた」経験が詰まっていた。


「優雅だねぇ。見事なもんだ、この唄のセンスすごいよ」


いま一つの光景を思い出す。確か冬の寒い時期、家にあがりこたつを囲んで聞き取りをしていた。二人の年配の女性が若いころの暮らしを語る。

家の入り口横の土間に若い女性たちが輪になり、夜、藁草履《わらぞうり》の表を編んだ。職屋《しょくや》という仕事の空間。そこに若い男たちがやってきて、女性たちの間に座り、楽しく語り、遊んだという。仕事と若い男女の語り合いが織りあわされた暮らしの空間。女性たちは、当時の様子を語る。草履を編みながら、そのうちに誰言うことなく、唄の遊びが始まったという。しりとり唄。そこには好き嫌いなど男女の思いが象徴され、彼らが暮らしていくうえでの処世の知、生活の知恵がぎっしりと詰まっている。

「悋気《りんき》しゃんすな、火のないいぃ火ばち、誰もお手出すひとはない」

やきもちは焼くもんではないよ、それはまるで火のない火ばちのようなもの、そんなことばかりしていたら誰もあんたのこと気にしてくれないよ、焼きもちはほどほどに。そんな感じの唄だろうか。

「錦《にしき》巻いてくるとのさんよりも、ぼっこ着てくるとのかわいぃ」

羽織《はおり》袴《ばかま》で見事な衣装を着ている男よりも、ぼっこ（綿入れの半纏《はんてん》、仕事着）を着て、しっかりと働いている男のほうが素敵だ。そんなあんたのほうがいいよ。

「いやと思うたら、見る目も顔も、着てる着物の柄もいや」

これは説明の必要はないだろう。こんな唄を歌われたら、当人はショックを受けたのではないだろうか。でも、こうした思いや知恵をこめた唄が、男女の遊びのなかで歌い継がれていたのである。

彼女たちがしりとり唄を歌うときの姿や表情はとても印象的だった。まるで昔の職屋で若い男たちと輪になって座っているときのような表情だ。恥ずかしそうに顔を赤らめながら歌う女性たち。生き生きとした姿。一気にタイムスリップしたような感じだ。

女性たちの〈いま、ここ〉での語りに当時の時間が流れている。私は、その姿に感動していた。差別の社会学を大学で講義するとき、何度、この光景を学生に話したことだろうか。

話すたびに当時の感動がよみがえってくる。

　ところで、後になり、当時のやりとりの録音テープを起こし、気づいたことがある。それを聞き取る側が行っていた〝過剰な評価、感動、賞賛〟であった。

　確かに感動的であったし、実際その場にいた聞き取りのメンバーは唄の見事さ、むらの生活に根づいている文化の厚みに「すごい」と思っていただろう。

「唄のセンスがすごい」「優雅だねぇ、見事なもんだ」「誇るべき文化だ」と、聞き取りの中心にいたメンバーが、まさに〝見事に〟感動し、何度も繰り返し声を高め、賞賛し評価する。女性たちは、そうした反応に少々戸惑いを見せながらも、賞賛の言葉に乗せられて、さらに唄のことを語っていく。

　女性たちから当時の生活文化を聞き取ることが目的である。その手がかりを得た瞬間、できるだけその中身をひきだそうとするだろう。そのために、相手の語りに価値を与え、評価し、賞賛し、できるだけやりとりを進めようとする。こうした作業は「聞き取る」営みにとり必須だろう。

　ただ、ここで述べておきたいことがある。それは〝過剰な評価、感動、賞賛〟の働きかけは、慎重であるべきだということだ。先の中心メンバーの語りくちは、録音から再考するかぎり、あまりにも〝過剰〟だという印象を受けてしまうのである。

この〝過剰さ〟は、被差別の文化や生活を、そうでないものと比べて「より低いもの」として扱う、当時の〝常識的な信奉〟を覆したいという研究者の思いから来ているのだろう。こうした思いはよく理解できる。人々が生きている場にできるだけ近づき、その場にある文化や生活を考察し評価するためにも、必要な思いだろう。

ただ、聞き取りの中心メンバーが行っていた評価の語りかけは、やはり〝過剰〟〝やりすぎ〟である。この〝過剰さ〟は、先に語った私の失敗のちょうど裏側にあるようなものだ。

仮に相手の経験の語りに感動したとしても、その感動は、素直に相手に表明すべきだろう。相手からより多く、分厚く経験の語りを聞き出そうとして、自ら感動したことを〝過剰に〟より〝技巧的に〟相手に伝えようとすれば、それはどこかしらつくられた感動なのである。

相手に自分の感動を鮮明に伝える語りくちや身体的なしぐさができる調査者は、聞き取り上手の優れた〝技巧〟の持ち主だといえるかもしれない。

そうだとしても、聞き取りにおいては、相手を豊かな存在だと決めつけず、過剰な感動の語りくちなどの〝技巧〟を使うことなく、自然に感動を伝えるほうがより好ましいと思うのである。

相互行為としてのインタビュー

「聞き取る」という営みは、単に相手から必要とする情報を効率よく収集する、という発想では、とてもできない。相手を情報を得るためだけの源であるかのように見ていると、それが相手に伝わった瞬間、おそらく聞き取りは硬直し、相手との〈いま、ここ〉での出会いは失われていくだろう。

では、どうすればいいのだろうか。聞き取りの処方を考えるまえに、私たちは聞き取りで、何をどのようにしているのかを考える必要がある。

相互行為としてのインタビューという考え方がある。それは桜井厚『インタビューの社会学』（せりか書房、二〇〇二）に、詳しく論じられている。聞き取りを実践しようとする研究者にとって、この本は必読だろう。

桜井さんは、これまで多くの生活文化史の聞き取りを重ねてきた。彼は、録音テープを詳細に書き起こすことから、「聞き取る」という営みで自分自身や語り手が何をしているのかを反省的に考察している。

桜井さんによれば、聞き取りには「実証主義」「解釈的客観主義」「対話的構築主義」という三つの立場があるという。

簡単にいえば、「実証主義」とは、人が生きてきた歴史は事実として客観的に把握できるという立場であり、人々の語りはその事実を傍証するというものだ。

たとえば、あるむらのできごとを考えるとき、そのできごとを伝える資料があれば、もっとも確かだと考える立場である。むらで生きてきた人の語りは、あくまで資料をもとに事実を把握する際の参考である。

「解釈的客観主義」は、語りに含まれているそれぞれの事実の解釈を聞き取ろうとする。人々が語る解釈を重ね合わせていけば、ある客観的な歴史的事実に到達するであろうという発想である。

たとえば、あるむらのできごとを考えるとき、むらで生きてきた人の語りを多く収集し、できごとに関わる語りを重ね合わせると、ある共通の語りができあがり、ある時点で、いわば〝飽和した状態〟になる。とすればそれは、あるむらでのできごとをめぐる人々の解釈の共通部分であり、それは社会的・歴史的事実として考えることができる。

このように考えると、聞き取る相手は「雪だるま式」(D・ベルトウ)に増えていくが、一定の大きさになれば飽和し、それ以上聞き取りを重ねる必要はなくなるのである。

対話的構築主義――エスノメソドロジーの影響

この二つに比べ、「対話的構築主義」の立場は、かなり発想を異にしている。相手と向き合って話し合い（「対話」し）、何かをつくりあげる（「構築」する）こと。

この立場では、聞き手は単に相手から情報を引き出すだけではない。相手と同じような、一人の人間として、相手に向き合い、語り合う。そこで構築されるのは、ライフストーリー――生活をめぐる物語――と呼ばれるものである。

聞き手は、情報を引き出す装置ではないし、語り手は聞き手が欲しいと思う情報を提供する容器でもない。聞き取りの場は、それをつくりあげる人々が、固有の人間として向き合い、さまざまな方法や営み、知識を用いて、〈いま、ここ〉で相互に微細に創造する相互行為が実践されていく場である。

こう考えるとき、聞き取りがその場でどのようにできあがっていくのか、その生成のありようが「聞き取る」という営みを考えるうえで重要な問いとなる。そして同時に、「聞き取り」のなかで語られる中身、つまり、そこで構築されるライフストーリーが、聞き取るという相互行為とどのように関連しているのか、という問いも浮上してくるのである。

桜井さんも述べているように、この立場には「エスノメソドロジー」（第六章、一八一頁以降で詳述）の発想が大きく影響している。詳しくは先にあげた『インタビューの社会学』を読んでほしいが、私なりにその影響について二つだけ述べておきたい。

一つは、「聞き取る」という営みが実践する多様な「方法」を、相互行為という見方から詳細に解読できたことだろう。

これまで、聞き取り上手の研究者がいても、それはその人の資質であり、いわば個人技として語られてきた。しかし、この立場では、その個人技が相手とのやりとりのなかでいかに「方法」として使用されているのかが明らかになり、より一般的に考察できるようになった。たとえば私が聞き取りのなかでよく使ってしまっている「方法」として、「標準化するワーク」がある。相手の話を聞きながら、「つまり、あなたの言っていることは、これこれということですか」「こういうことととして理解していいですか」などのやりとりをするのだ。

私は相手の語りの〝固有さ〟をできるだけ大切にしながら聞き取りをしたいと思う。しかし他方で、語られた〝固有の経験〟を、他の誰もが理解できるように内容を確認し、より〝標準的な言葉や言い回し〟や、〝標準的な情緒や価値をめぐる言葉〟で言い直そうとするのだ。

あなたの経験に由来する語りは、標準的に言い直せば、こういうことですか、という「方法」。たとえば、こうした「方法」が「聞き取る」という相互行為の秩序をつくりあげているのである。

いま一つは、相互行為のやりとりという形式的な「方法」だけでなく、語り合う内容についても詳細な解読が可能になったことだろう。

端的にいえば、聞き取りのやりとりを詳細に書き起こし、解読することから、そこで使用されている実践的な知識やカテゴリーを検討できるようになったことだ。

たとえば、聞き取りをする研究者が、相手の存在や生活をめぐり、いかに既存の知識やカテゴリー、思いに囚われ、影響を受けているのかなどについて、聞き取り録音の詳細な書き起こしから批判的に検討できるわけだ。

以下、桜井さんの「対話的構築主義」という発想から、私がとても興味深いと考える二つの点について述べておきたい。

多元的な時間や語りを生きる

私たちは、聞き取りの場で一つの時間を生きているのではない。一つの物語を聞いているのではない。そこには多元的な時間が流れている。聞き取りの録音を語られたとおりに詳細に書き起こしていくなかで、この多元的な時間を生きている私たちの姿に気づいていく。

「時間の様式では、標準時間が支配的な〈会話〉、語り手とインタビュアーの相互性による時間感覚に左右される〈ストーリー領域〉、そして〈物語世界〉では、過去の出来事のなかの登場人物が経験した時間の地平が存在する」（桜井、二〇〇二、一二九頁）

「どうもこのたびはお話ししていただきありがとうございます」「昨日からここへ来てはったんですか」「今日はあいにくの大雪ですね」等々。聞き取りは普段の会話から始まっていく。自己紹介をし、なぜ自分はあなたのところへ話を聞き取りにきたのか、その理由を話す。こうした始まりの会話を経て、ライフストーリーを聞き取る営みが進んでいく。

ただ会話をするために、聞き手は語り手と出会っているのではない。聞きたい話の中身やそうした語りへもっていこうとするやりとりのなかで、聞き手の時間感覚と語り手の時間感覚が交錯し、標準的な時間からずれていく。

「そういえば、あのとき、こんなことがあったなぁ」「もうだいぶ昔のことやけどな」。たとえば語り手はこう告げ、〈いま、ここ〉で、かつてのできごと、かつての経験の記憶を語りだす。桜井さんのいう〈物語世界〉へ語り手は入り込んでいくわけだ。そのとき流れるのは、〈あのとき、あそこ〉の時間である。

聞き手はできるだけ、その時間が〈いま、ここ〉でよどみなく流れていくよう、語りに耳を傾ける必要があろう。しかし後述するように、調査者の中にある「実証することへの欲求」が、流れる過去の時間の地平に亀裂をいれてしまう。

「で、そのお話はいつのことですかね」「結婚されたのは何年ですか」

〈物語世界〉を生きている語り手にとって、それが明治何年、大正何年、昭和何年であろうと関係がない。いつ結婚したかなんて、すぐに思い出せるものでもないし、いま語りたいことと関係がない。いま語られている物語を標準時間につなげたいという聞き手の欲求が、語り手の語りを微細に制止させる力として、その場で行使されてしまうのだ。

「あんた、やらしい。歳まで聞くんか、やめときぃな」

たとえば、そんなかたちでの語り手の抗議で、聞き手の微細な権力行使は〈いま、ここ〉で確認されていくことになる。

また、人々の語りは、すべてがオリジナルではない。もちろん私が語る物語は私固有のものだ。しかし、私たちが自らの生きてきた歴史を語るとき、それは個人の多様な位相の物語が織りあわされてつくられる。

あるむらで、ある地域で、ある家族で、ある学校で特別に意味をもつ物語がある。その場で生きてきた人々が、いわば共通に記憶し語る物語がある。桜井さんはそうした「特定のコミュニティで特権的な地位をしめる語り」を「モデル・ストーリー」と呼んでいる。

また彼は、特定のコミュニティより広く大きなものに、私たちの語りが影響を受けていることを述べ、そうした「全体社会の支配的言説（支配的文化）」を「マスター・ナラティヴ」あるいは「ドミナント・ストーリー」と呼んでいる。

たとえば「団塊の世代」という言葉がある。「団塊の世代」とはこういう人たちであり、こんな特徴があり、こんな問題を抱えている等々。多くの人が承認するであろう、より一般的な言説がこの言葉にまとわりついている。

私たちが聞き取りをするとき、こうした「ドミナント・ストーリー」や「モデル・ストーリー」が語り手固有の生活経験のなかで織りあわされ、語りだされていくのである。

いま一つは、「聞き取る」営みがもつ微細な権力行使を明らかにできるという点である。桜井さんの本では、聞き取りの後、「警察の尋問みたいやな」と捨てぜりふを残していった女性のエピソードが述べられている。

やりとりのなかでいかに微細に権力が行使されているのか。いいかえれば、聞き手の聞きたいと考えるものが、いかに語り手の語りに介入し、せめぎあっているのかが詳細に論じられている。

私自身にも似たような経験がある。

琵琶湖湖北のある地域で聞き取りをしていたときのこと。夜七時になり、約束していた年配の男性たちが集会所に集まってくる。私は、出迎えようと集会所の玄関にでており、玄関に入る直前の彼らの会話を聞いてしまったのである。

「あんたもでっか」「そうや、今日はこれから尋問があるんやで」

おそらくは、むらの共同浴場か何かで、すでに聞き取りを経験した人が他の人々に語っているのだろう。「こないだ集会所に行って、話したけどな、あれはまるで警察かなんかの尋問みたいやったで」と。そうした人々の噂がむらに広まっていたのだろう。

そのときは、できるだけ丁寧に、相手の語りに沿うように、話を聞いているつもりだったが、先に述べたように、語り手が生きている〈あのとき、あそこ〉の時間に「それはいつのことですか」と割って入ったり、話したいと思っていない内容を、いきなり、いわば強引に聞いたりと、さまざまに権力を行使していたのである。

さまざまな働きかけの可能性

ところで、聞き取りでは、基本的に語り手の話を否定してはいけない。これは守るべき原則だと思う。ただ私は一度だけ、その原則を逸脱したことがある。

同じ湖北の集会所での聞き取りをしているときの話だ。もう一人の研究者とともに、ある男性からむらの運動や歴史について聞いていた。彼はむらの運動への批判をとても整然と説得的に語ってくれた。いかにこのむらの運動がだめであるのかをとうとうと語ってくれるのである。聞いていると確かに「正論」であり、否定しがたい内容だ。

しかし、である。私は彼の語りを聞いていて、徐々にいらだってきたのだ。なんでこの男性は私たちに向かって「正論」しか語らないのだろうか。私が聞きたいのは、こんな「正論」ではなく、実際にその男性が、このむらでどのように生きてきたのかだ。誰も否定できないような「正論」ばかり聞いていてもなぁ、でもなんでこの男性はこのように語るのだろうか。私の頭の中で、さまざまな思いや考えが駆け巡ったはずだ。

しばらくして、私は男性にこう言ってしまった。「あなたの話はわかりますが、おそらくむらの人が聞いたら誰もが窮屈やないかと」。こんな内容だったと思う。いずれにせよ、それまでの男性の話が「かたくるしく、窮屈で、面白くない」と言ってしまったわけだ。

男性は、瞬間、沈黙した。しばらく間があったと思う。

「やっぱり、そうですか。実は私もそう思うんやが～」。その後彼はこう切り出して、それまでとはまったく異なる内容の語りを始めた。自分はむらでほかの人とともにいろんなことをしたいと思ってきたが、いかに疎外されてきたか、その思いがどっとあふれてきたのである。

もちろん、聞き取りで相手の語りを否定してはいけない。ではなぜ、私はこのようなふるまいをしてしまったのだろうか。今考えてみると、「窮屈だ」というまえに、男性の語りや語りくち、語る様子などをそれこそ緊張して観察していたはずだ。

そうやって男性に向き合うなかで、私は、もし相手の話を批判したとしても、たぶん怒って席をたつことはないだろうという、何か直感めいたものを感じたのだろう。もちろん、その直感が間違いであり、怒って男性が席をたち、聞き取りが終了するかもしれない。でも、おそらくはそうしたことはないだろう、と感じ、私は「窮屈だ」と言ったのだ。

そのとき男性が何を思ったのかはわからない。しかしそれ以降の彼の語りは、以前の「正論」に比べ、私たちへ直接届く、より素直でまっすぐな語りになったのである。

私の経験は、一つ間違えば、聞き手の強引な権力行使となる。しかし、聞き取りは相互行為の場である。聞き手が相手に向き合おうとするとき、もちろん背後に細かな配慮を働かせながらだが、語り手に対するさまざまな働きかけの可能性も秘められているのである。

どのような存在に対して聞き取りを行うのか

さて、私が行った聞き取りでの、より確信犯的な権力行使について、述べておこう。

いま多くのメンバーとともに、薬害ＨＩＶ感染被害問題で当時血友病治療に携わっていた医師の聞き取りを行っている。医師という存在への聞き取りは、私はこれまでやったことがなく、それ自体とても興味深い営みである。

医師は否定するかもしれないが、やはり圧倒的な権力をもつ存在であり、権力を行使することへの自覚がなかなかできにくい場を生きている。そうした存在に対してどのように聞き取りすればいいのだろうか。

「私個人の話を聞いてどうするのですか」「今回の問題と私が生きてきた生活史とどう関連しているのですか」「過去のできごとについて話しても、それは当時考え、感じていたこととは違うはずです。いま話を聞き取る意味はなんですか」など、医師は聞き取りの前に必ず、私たちの作業の意義を問うのである。

もちろん、そうした問いの背後には、医師があたりまえのように信奉している自然科学的な学問観や、社会学という営みへの疑いのまなざしがあるだろう。

そういう問いかけに誠実に対応するとすれば、自然科学と社会科学の相違、「聞き取る」という調査行為の意味などを説明する必要がある。実際に、できるだけこうした要請に応えながら聞き取りを進めていることも確かだ。ただ、実際の聞き取りでは、そんな時間的な余裕がないときもある。ではどうしたのか。

私は、あるとき、医師に対して聞き取りが社会学的な「調査」であることを一気に説明し、これからの聞き取りは単に「お話をうかがうこと」ではなく「社会学的な調査」であることをことさら強調し、それを相手の医師が了解したと感じるとすぐに、一気に問いかけを続けていった。

ただ問いを重ねていくのではなく、「なぜこの問いを医師であるあなたに、私が問うのか」

を必ず説明しつつ、問うていった。つまり、問いの〝根拠〟を、その場でできるだけ相手に示しながら、なぜいまこの問いをあなたにするのかを理解してもらいつつ、答えられるようにしたのである。

この営みは、かなり緊張するものだ。

なぜなら、相手が何をどのように語るのか、もし語ることに抵抗を示すのであれば、それを少しでも和らげるためどのように〝根拠〟を語るのか、常に考え、用意しておく必要があるからだ。正直、聞き取りを終えて病院を出た私は、ぐったりと疲れていたのである。

こうした聞き取りは、相手の語りをできるかぎり、聞き手のコントロール下においておこうとするものであり、桜井さんが想定するライフストーリーを聞き取る営みとは異質なのかもしれない。

しかし、どのような存在に対して聞き取りを行うのかを考えることは、「聞き取る」という営みをその場で実践していくうえで、重要な問題なのである。

支配的な文化や社会から排除されてきた人々への聞き取り。支配的な文化や社会で優位な位置をしめ、生きてきた人々への聞き取り。そこで展開される聞き取りの様相は、かなり異質なものとなるだろう。

聞き取る相手がどのような専門性の世界を生きているのか。あるいはどのような権力をなかばあたりまえのごとくに有しているのか。相手がもっている力や生きている場所を想定することに囚われすぎると「聞き取る」という営みは硬直し、おそらく失敗するだろう。しかし、そうした想定をしながら、相手の存在や相手がもつ多様な力に反応し、いかに聞き取りを達成していくのかという問題は、「聞き取る」営みの多様性を考えていくうえでも重要なのである。

優れた聞き取りの例証――境界文化のライフストーリー

「人びとが自らの生活史をふり返りながら、過去の自己と周りの世界についての経験をインタビュアーに語る。その意味では、人びとはライフストーリーが生みだされる源泉となる生活史経験をもち、その経験をもとに自らの周りの社会や歴史に対する見方を再編成してストーリーを構築する、といってよい。しかし、同時に、人びとは語ることによって自らの経験を構築し、生活史経験といわれるものを再編成するのだ。（…）しかも、そのインタビューの場は、人びとがなにを、いかに語るのか、というかれら固有のメソッドを駆使する場である。語りはインタビュアーの直接的な質問や応答を介した対話によって生成するから、語り手の〈過去〉の経験の物語といえども、インタビューの〈現在〉の場に拘束されて、相互的に構築されるものなのである。かくして、人びとの社会観や歴史観は、こうした語りの日々の実践をとおして構築され、維持されているのだと考えられる」

桜井さんの著書『境界文化のライフストーリー』（せりか書房、二〇〇五）は、冒頭、このような文章から始まっている。「聞き取る」という営みは、聞き手―語り手の相互的かつ微細な方法が駆使された実践であるという彼の見方が、ここに凝縮されている。

もちろん、こうした相互的な実践としてのありようを詳しく読み解いていくことだけが、「聞き取る」ことの目的ではないだろう。そこで何が語られるのか。「何」の部分を明らかにする作業が第一の目的である。

ただ、「何」だけを取り出しておしまい、でもない。「聞き取る」という〈いま、ここ〉で、「何」がいかに語られるのか、いかに聞かれるのか。いわば「何を」「いかに」の絶えざるせめぎあいのなかで、ライフストーリーが構築されているのだと。

桜井さんは、十数年間にわたり、滋賀県の被差別部落で生活文化史の聞き取り調査を行ってきた。私もこの調査に何年か参加し、その成果は数冊の本にまとまっている（反差別国際連帯解放研究所しが編『語りのちから――被差別部落の生活史から』弘文堂、一九九五：桜井厚・岸衛編著『屠場《とじょう》文化』創土社、二〇〇一など）。

先にあげた本は、その集大成ともいえるものであり、優れた聞き取りの例証なのである。滋賀には近江文化という伝統があり、それを培《つちか》ってきた庶民の生活がある。たとえば琵琶湖博物館では、こうした庶民の暮らしを肌で感じられるような展示が工夫されている。しかし、そこに被差別部落の生活文化が欠けているとすれば、それは極めて不十分なものではないだろうか。「もうひとつの近江文化」あるいは「隠れて語られてこなかった生活文化」。こうした発想で桜井さんは聞き取りを行っていく。

また被差別部落で暮らしてきた人々の語りに凝縮されるさまざまな〝生きるための智恵〟と出会うなかで、彼は「生活戦略」という発想を得ていく（桜井厚『生活戦略としての語り――部落からの文化発信』反差別国際連帯解放研究所しが、リリアンス・ブックレット7、一九九八）。

解放運動として、いわば正面から差別に対抗していく実践や文化がある。ただ、それだけで被差別の文化や生活ができあがっているのではない。

たとえば、被差別部落の人々が差別をやりすごし、すりぬけ、きりぬけ、差別する人や文化をからかう実践がある。厳しい生活条件のなかで、少しでも糧《かて》を得て暮らしていくための多様な、優れた技術がある。この多様で豊かな、生きていくための術《すべ》、智恵は、「生活するための戦略」である。

「部落の生活世界は、支配的文化の周縁部に位置づけられ、国家、官僚、大企業の施策や管理がおよびにくく、支配的文化に流通している制度や規範から相対的に自由な側面を多くもっていただけではない。限られた選択肢しかもたなかった人びとの生活行為は、支配的文化の規範やルールと抵触し、矛盾したり、侵犯し合うことがある独自の『生活の論理』をもっていた。人びとが語るこうした『生活の論理』を、とりあえず『境界文化』とよぶことにしよう」（桜井、二〇〇五、二一九頁）

そして「生活戦略」が駆使され創造されてきた被差別部落の生活世界を、より広い社会や歴史の文脈に組み込もうとする言葉が「境界文化」なのである。

被差別部落の起源がどのように伝承されているのか。その多元的な語りの物語。文書史料には残らない差別事件。当時、人々はどのように事件に抵抗したのか。その抵抗と戦略の物語。

むらで昔からおこなわれてきた「おこない祭」。神職を担当する人の生活の規律と社会関係のありよう。守られてきた伝統に少しずつ亀裂が入りながらも共同で維持される祝祭の物語。

かつて男女がどのように婚姻の相手を決めていたのか。若者たちの了解を得ながら行われていた、〈はしり〉という、女性を「誘拐」し奪取する物語。

和靴の製造という優れた技術、文化。好況期を生きた職人の世界やその後の変転と苦悩が語られる職人の魂の物語。

牛や豚を解体し「鳴き声」だけを残してすべて利用するという優れた食肉の文化。他方で屠場やそこで生きる人々に向けられる執拗《しつよう》な差別。食肉産業の変化にともなう彼らの生活の変転と苦悩。屠場という隠された世界の物語、等々。

『境界文化のライフストーリー』には、「聞き取る」という相互行為から創造された、〃被差別部落で生きてきた人々が生み出してきた固有の意味〃で満ちた物語がつまっているのである。

誠実な聞き取りの例証――「被害者」という理解だけでいいのか

いま一つ、誠実な聞き取りの例証をしておこう。蘭由岐子さんの『「病《やま》いの経験」を聞き取る――ハンセン病者のライフヒストリー』（皓星社、二〇〇四）という本がある。副題にあるように、この本はハンセン病者の生活史を丹念に聞き取った成果である。

私たちはハンセン病という社会問題についてどれほどのことを知っているのだろうか。二〇〇一年五月、ハンセン病国家賠償訴訟は原告側が勝訴し、その後高度な政治的な判断もあり、国は控訴を断念し判決が確定する。この結果、ハンセン病者に対する国の隔離収容政策は誤りであることが明確となった。

加害者としての国、被害者としてのハンセン病者という二分法的な見方が、ハンセン病という社会問題を理解するうえでの基本であることが確定した瞬間といえよう。国家＝加害者、ハンセン病者＝被害者という見方。私はこの見方を否定するつもりはない。しかし他方で、ある問いが私の中に浮かんでくる。ハンセン病者を「被害者」としてだけ考え〝このような経験や感情、思いがあるにちがいない〟と勝手に決め込んでいいのだろうか、という問いだ。

二〇〇三年に、ハンセン病者に対するホテル宿泊拒否事件があった。もちろんホテル側や行政の対応の問題性を論じることはできるだろう。しかし、問題だと思ったのは、ホテル側の不誠実な対応に怒り、謝罪を受け入れないというハンセン病者に対して、誹謗中傷、非難、批判の文書が数多く送りつけられたという事実である。

私もそうした文書を読んだが、そこには病気に対する露骨な偏見、彼らの身体への強烈な嫌悪、自分の日常生活への不満が投影された、賠償されることへの批判、非難など、差別的な内容が満ちていたのだ。

なぜこのような内容の文書が書けるのだろうか。そのどろどろとした鬱屈《うっくつ》したエネルギーはなんだろうか。驚き呆れ、怒りの感情がわいたが、それよりも、こうした文書を読み、端的に感じることがある。

それは、相手がどのような〈ひと〉なのか、知らないし、知りたくもないという「思い」であり、知らないにもかかわらず、相手はこのような存在であると決めつける「暴力」である。

確かに、この間、一定の情報がマスコミなどを通して流布《るふ》され、私たちはハンセン病という問題を、どのように考え、理解すればいいのかという方向性は示されていると思う。

しかし、その方向性には、ハンセン病を生きてきた人々の具体的な姿や語りはほとんど含まれていないし、彼らが〈ひと〉として、どのように病気と向き合ってきたのかという個別の語りもまだまだ少ない。私たちのハンセン病問題理解には、具体的な当事者たちの姿が欠けているのだ。

ハンセン病者には、一人一人固有の歴史があり「病いの経験」がある。もしこうした歴史や経験をめぐる語りと出会うことなく、語りを理解しようとする志向もなく、彼らは〝このような存在だ〟と決めつけるとすれば、それはとても傲慢な現実理解ではないだろうか。

また、彼らの「具体的な生」「病いの経験」を知らないまま、彼らを「被害者」としてだけ理解することは、なんとも平板な現実理解ではないだろうか。

「被害者」という見方だけで、〈ひと〉としての具体的な姿が欠落し〈空洞〉のままになっているとき、そこに彼らに対する偏見やさまざまな歪《ゆが》められた知識が充填されていくのではないだろうか。

〈ひと〉の姿が見えてくる語り

蘭さんの本は、この〈空洞〉を確実に埋めていく。彼女は療養所を何度も訪ね、さまざまな人と少しずつ関係をつくりながら、個人が生きてきた歴史をめぐる語りと丁寧に出会っていく。そして、それらを性急に一般化するのではなく、彼ら一人一人が生きてきた固有の「病いの経験」として聞き取っていくのである。

彼らにとって家族とはどのような意味をもつものなのか。家族、故郷に対する彼らの分厚い思いとはどのようなものなのか。療養所に隔離、収容され、故郷の家族との関係が断ち切られてしまうことが、個人の人生にとってどのような意味をもつのか。

療養所に入り、長い間、親類縁者に迷惑をかけないように「自分を殺して」生きてきた人が、「自分は自分」として生きることに目覚め、身近な他者との関係を変えようとしながら、それができなかったことを「悔いる」語り。

これは、自分が病者としてどのように生きてきたのかを反芻し、それを端的に反省し、いまを生きようとする具体的な〈ひと〉の姿が見えてくる語りである。

「正直に」生きてきた個人の人生。そこには、若い頃、病気が完治しないまま社会へ出て働いた経験が語られている。病気であることを隠しながらも、がんばって仕事をするという充実した時間。病気が再発し、結局は療養所に戻ることになるが、彼にとって、この経験は病との向き合い方を決定する大きな歴史であった。

六つの名前をもち、生きてきた女性の語り。法律の過ちを撃ち、国の責任を問う訴訟に対して、どのように向き合えばいいのか。訴訟に前向きな人、批判的な人それぞれが、当時どのような思いをもって生きていたのか。

いかにハンセン病と出会い、〈ひと〉としてその病いとどう闘い、あるいはどう折り合いをつけて生きてきたのか。訴訟などのできごとを経験するなかで、いま自分の人生をどのように反芻しているのか。『「病いの経験」を聞き取る』には、そうした個人の具体的な語りが満ちている。

また、蘭さんの本が興味深いのは、彼女の「聞き取る」方法や姿勢の変遷が、自らの調査行為の詳細な反省のもとに書き込まれていることだ。

最初蘭さんは、ある程度の仮説枠をもち、実証主義的に語りを整理しようとする。その後エスノメソドロジー的なエスノグラフィーの影響を受けながら、相互行為として「聞き取る」営みを読み解き、語りを整理していくのである。

「聞き取る」営みで、否応なく生じてしまう聞き手自身の感情的な動きや揺れなども書き込まれており、調査する〈ひと〉としての聞き手の変遷を考えるうえでも、意義あるものだろう。

自らの価値観の変動を心地よく感じられるか

「聞き取る」という営みの醍醐味とは何だろうか。

二時間なら二時間、面と向き合い、相手の語りに耳を傾け、できるだけその語りを引き出そうとさまざまに語りかける濃密な時間。

すでに述べてきたように、そこでは異なる経験の語りに出会い、語られる生活の智恵や文化に、思わず感動してしまうかもしれない。〈いま、ここ〉で相手が語る過去の物語を聞き、その瞬間、これまで味わったことのないような異なる時間を体験するかもしれない。相手の人生から生み出された〝処世の術〟〝世の中の理解の仕方〟を聞き、思わぬ驚きを得るかもしれない。

いずれにせよ、相手の〈声〉と直接出会えることは、聞き取りの醍醐味の一つだろう。

また、相手の〈声〉により濃密に出会うためには、聞き手はただ耳を傾けるだけではいけないことも明らかになっただろう。そこには前もって工夫できる聞き方、相手の語りを受け止めるしぐさ、作法などがある。と同時に「聞き取る」瞬間、〈いま、ここ〉の瞬間に相手に向き合いながら反応すべき〝何か〟がある。

この〝何か〟とは、まさに聞き手の〈ひと〉としてのありようや資質、これまで生きてきた生活の歴史や経験にも関連するものであり、「聞き取る」流れのなかで、相手を詳細に観察し〝何を考え、感じながら、私に語ってくれているのか〟をおしはかることから、生み出されるものだろう。

その意味で「聞き取る」という営みは、相手と〈いま、ここ〉の瞬間、どのように向き合うのか、どのように関係を生成するのかという、緊張感あふれるダイナミックな動きで満ちているのである。

では、どのように聞き取りをすればいいのだろうか。

社会調査の教科書や質的調査を論じるものには、おそらくさまざまなアドバイスが書かれているだろう。参考になる内容があれば、それを試してみればいい。ただ、私は一つのことだけ、ここで確認しておきたい。

それは「相手とまっすぐに向き合おうとする」ことだ。では、どのように、何に対して「まっすぐ」なのだろうか。

相手の目を見ることだろうか。もちろんこうした処方は必須だろう。普段、会話をするなかでも、私の目を見ないで、うつむいたり、どこか他のほうを向いて話す学生や先生がいる。

聞き取りで、相手から目をそらして問いかけたりしたら、それはとても失礼なことだ。

でも、ここではそのような処方のことだけを言いたいのではない。

「まっすぐに」とは、相手の語りの背後に奥深く、はてなく広がっているであろう〝語りをうみだすちから〟〝生きてきた〈ひと〉のちから〟に対して「まっすぐ」なのである。

「生活史の語りを聞くと私たちがこともなげにいうとき、被差別部落のある女性のことばが頭をよぎる。『聞く人としゃべる人の気持ちっていうの、そりゃ、しゃべる人の気持ちって並大抵のもんじゃない。聞く人はなにげなく聞くんだよ。(…)(私ら)この何十年かかってやっといえるようになったんだよな』。私たち調査者に向けられる婉曲だが痛烈な批判」(桜井、二〇〇五、一〇頁)

「まっすぐに」相手に向き合おうとするとき、相手の〈声〉は単なる情報を語るものではなく、相手のさまざまな思いがこめられた〈声〉となるだろう。その〈声〉は、聞き手がそれまで持っていた相手へのカテゴリー化(たとえば「被差別部落の人」「障害者」「ゲイ」「レズビアン」「ひきこもりの人」など)を崩し去り、新たに編成していく力として、聞き手に届いてくるのである。

自らの理論枠、仮説枠、社会や世界についての理想像などを堅く守り、そうした枠やイメージにあう語りだけを、聞き取った内容から取り出して使う研究者がいる。それも研究の一つのスタイルかもしれない。しかし、私に言わせれば、そのような営みは情報の収集ではあっても、「聞き取る」ことでもなんでもない。

「聞き取る」という営みのなかで、相手の語りや〝語りのちから〟から、さまざまに影響を受け、聞き手の具体的な問題への関心、理論枠、仮説、より基本的な社会理解、世界観などが変動していく。

この変動を心地よく感じ、「調べる」という営みに組み込んでいくことが、いま一つの醍醐味といえるのではないだろうか。

第五章　語りだす

近年、壮絶な人生を生きてきた人物や、重い障害を克服し人生を切り開いてきた人物の手記が、ベストセラーになることが多い。さらに、そのことを論じた文章もある（赤坂真理「『障害』と『壮絶人生』ばかりがなぜ読まれるのか」〈『中央公論』二〇〇一年六月号〉。この号の特集は「『普通』の人の生きづらさ」である。後の章で述べるように、「普通であること」は、世の中を調べるうえでの基本だと、私が考えている現象であり、その意味で、この特集はとても興味深いものである）。

何らかの意図や思いから、自らが送ってきた人生をふり返り、自らの言葉で語りだす。こうした営みは、社会学が世の中を質的に調べていくうえで、とても興味深いできごとなのである。

この章では、「識字という力」「ゲイスタディーズ」「自分史を語ること、書くこと」の三つをとりあげ、人が自ら語りだす営みに注目する意味を、考えておきたい。

識字という力

かつて私は、識字の空間を調べたことがある（本書では、「識字」は、識字に関わる運動や活動すべてを指している）。識字が実際に行われている場の雰囲気や熱のようなものを感じ、識字で学んだ人々の文集の文章を味わい、学んでいくにつれて変化していく文章の力について、少しだけ論じたのだ（好井裕明「識字という力の解読」『研究紀要』社会福祉法人大阪府総合福祉協会、一九九三年一〇月、一一～一四頁）。

大阪府にある大きな同和地区。当時、そこでは知的障害のある母娘が自立して暮らせるよう、彼女たちを日常、支えていく実践があり、私は数名の社会学者とともに、なぜ、どのようにして地域自立が可能になっているのかを調べにいった。

地域での障害者解放センターの取り組み。街のメインストリートにある障害者作業所の日常。当時はまだめずらしかった男性二名を含んだ地域の人々からなるヘルパーの仕事。校区小学校での牛乳パック回収（牛乳パックは障害者作業所での作業の材料になる）の取り組み、等々。

母娘へのサポート体制だけでなく、彼女たちを含め、地区内外の障害者や高齢者を地域で支えていく、多様で幾層にも重なった人間のネットワークが、この地区ではりめぐらされていることがわかった。

障害者や高齢者が、幾重にもはりめぐらされ、重なった〈ひと〉の柔軟で丈夫なネットワークのなかで、弾んでいる。どのような障害をもった人が地域のどこに暮らしているか、彼らを日常の暮らしのなかで支援していくためには、地域に住む人々が何をすればいいのか、何か問題が起こったときには、どこへ話しにいけばいいのか。こうしたことが明快になっている。

いわば、〈ひと〉の繋がりとでもいえるものがしっかりと暮らしの日常でつくられ、確認されている。そして、この繋がりの重要な一つが、識字学級に通う人々のネットワークだったのである。

識字とはどのような営みなのだろうか。

部落差別の結果、小さいときに教育の機会を奪われた人々、あるいはさまざまな背景で日本にきて、厳しい生活の条件のもと、文字の読み書きが十分にできないまま生きてきた在日朝鮮人一世の人々など、何らかの不条理な理由で、学ぶ機会を奪われた人々が、それを取り返す営みである。

この地域では、当時、毎週一回、夜、集会所に五〇人近い中・高年の女性を集め、識字学級が開かれていた。校区小・中学校の教員などが教える側に回り、マン・ツー・マンで学習が進められていた。どのような教材がいいか、教員と参加者がともに話し合い、自主的に作られていく。

私も、何度かこの空間に参加したが、対面して学びあう女性と教員の姿から発散される〝熱〟のような何か、濃密なコミュニケーションのありようを感じたのである。

共同学習の場面、マン・ツー・マンではなく、OHPを使いながら、辞書の引き方を面白おかしく語っていく教員の姿。真剣に学ぶ緊張感が満ちているとともに、何か不思議な安らぎがただよっている空間だった。

識字という力はどのようなものなのだろうか。私は、この学級で毎年綴《つづ》られている文集を読み、その力の一端を感じることができた。

文集で綴られている内容。それは普段の暮らしから乖離《かいり》した抽象的で一般的な議論などではない。子ども時代、奉公に出たこと。戦時下で食べていくのに苦労した話。大阪まで行商に出かけ、警官とやりあったこと。子育ての苦労。読み書きができず悔しかったこと、恥ずかしかったこと、腹が立ったこと。識字へ通うきっかけとなったこと。文字を学ぶ喜びと苦しみ。仲間とともに学ぶことへの感謝、等々。

一つ一つが、書かれた人の生活に根ざし、生きてきた力が感じられる。文集は書かれた文章をその内容だけではない。その力は書かれた文字からもあふれ出る。文集は書かれた文章をそのままコピーして作られているのだ。

升目からはみださんばかりに自己を主張してやまない文字。反対に升目にできるだけきちんとおさめようと細心の注意が払われ、丁寧に綴られた文字。升目など気にせず、原稿用紙に叩きつけたといわんばかりのエネルギーがほとばしり出る文字――。

書かれた文字一つ一つに〝熱〟があり、確実に書き手の〈息づかい〉が伝わってくる。

生活世界が量的、質的に拡がっていく営み

さらに文集を丁寧に読んでいくと、そこに参加し「文字を識る」一人一人が変貌していく〝流れ〟を感じ取ることができる。それは識字という力のダイナミズムといえるものかもしれない。

この歳になって文字を学ぶことができるのだろうかという不安感、自分の子どもほどの年齢の教員から文字を教えてもらうことへの抵抗感など、最初はさまざまな不安をもちながら識字学級の門をたたく。少しずつ教員との関係ができ、文字を学ぶ体験への素朴な感動が語られていく。

その後、習い覚えた文字を駆使し、〝文字を知らなかった頃の自らの体験〟が語られていく。そこでは過去の体験の意味を語りだす自分がゆっくりとかみしめられ、たとえば、自分が受けてきた差別の意味が、改めて反芻されていく。

過去の体験が、文字で語られ、綴られることを通して、自分の目の前に今一度さらされ、その意味が〈いま、ここ〉という現在で相対化されていく。

そして、識字という営みが参加者のなかで、意義あるものとして積極的に評価され、「文字を識る」ことで変貌していく日常の暮らしぶりに対する驚きが表明され、その経験が語りだされていく。

こうして自分の姿や毎日の暮らしが識字体験をとおしてある程度、相対化できたとき、文集の語りに非連続とでもいえる変化がおこる。

それは、〈わたしの言説〉をつくることであり、〈わたし〉を超えた〈運動的な言説〉への踏み込みとでもいえるものだ。

参加者は、自分が〈ひとなみ（普通一般に読み書きできる誰にでも）〉になりたいのではなく、〈じぶんなみ（他の誰でもない、まさに読み書きできるわたし）〉になるということに目覚めていくのである。

さらに、他の地域の識字学級との交流、体験発表会、日本だけでなく世界での識字のありようを知っていくなかで、〈わたしの言説〉は、より広い世界と結びつき、「文字を識る」という営みの意義が、螺旋《らせん》を描きながら少しずつ拡がっていくのである。

「文字を識る」ことで〈おのれ〉に目覚め、「文字を識る」仲間を同じ地域で知ることで〈おのれ〉と同じ〈うちら〉がいることに目覚めていく。さらに、こうした仲間が、全国に、全世界にいることを知り、〈おのれ〉と同じ〈わたしたち〉がいることに目覚めていくのである。

このように自己が覚醒し拡大していく過程で、自分から語りだす力が大きく深くなり、洗練されていく。

識字は、ただ文字を学ぶ営みではない。参加者一人一人の生活世界が量的、質的に拡がっていく営みである。これまでの生活、いまの体験が、「文字を識る」ことを通して、いったん自分から剥《は》がされ、それを文字で表現し、語りだすことで、新たな意味が加わり、再び語りだした自分に戻ってくる。それは自分という存在を見つめなおす過程なのである。

ゲイスタディーズ――「語りだす」意義

ゲイスタディーズとは、どのような営みなのだろうか。

「当事者たるゲイによって担われ、ゲイが自己について考え、よりよく生きることに寄与すること、さらに異性の間の愛情にのみ価値を置き、それを至上のものとして同性愛者を差別する社会の意識と構造とを分析することによって、同性愛恐怖・嫌悪と闘っていくのに役立つ学問」(キース・風間・河口『ゲイ・スタディーズ』青土社、一九九七、一二頁)

ゲイスタディーズを、闘争的に宣言した書の冒頭には、このような定義が書かれている。同性愛者である当事者たちが、よりよく生きていけるよう、自らの存在について考え、さらに彼らを強烈に排除、差別する社会――具体的にはホモフォビア(同性愛恐怖・嫌悪)がどのような形で行われているのかを解読し、それらに対抗し、生きていくにはどのようにすべきかを考え、実践していくのだ、と。

自分たちの存在の意味を掘り下げ、確認し、自分たちを取り巻く支配的な社会や文化がもつ問題性を根底から撃っていこうとする、きわめてラディカルな学的実践の提唱である。何か新しい営みを立ち上げるとき、こうした勢いは必要だろう。

ただここでは、ゲイスタディーズそれ自体を検討するつもりはない。風間さんや河口さんの闘争的、論争的な書から、世の中を調べるうえでの重要な手がかり、きっかけ、糸口（言い方はいろいろとある）として、私がとても興味深く感じた点に絞って、述べておきたい。

それは、彼らがゲイスタディーズという、自己の反省的な営みまでも含めたラディカルな学的実践を創造するうえで、「自らが声をあげ、自らの人生を語りだす」営みを、その実践の根底におき、「語りだす」意義を強調している点である。

法廷闘争

一九九〇年二月、風間さんたち同性愛者の人権活動団体である「動くゲイとレズビアンの会（略称アカー）」が、東京都立「府中青年の家」で勉強会合宿を行った。

この施設では、他の利用団体間の交流を目的としたリーダー会があり、各団体の紹介が行われる。そのリーダー会の後、アカーのメンバーが入浴中に覗《のぞ》かれたり、廊下ですれ違いざまに「こいつらホモ」とからかわれたり、食堂で「ホモ」「オカマ」という言葉を投げつけられたりしたのだ。

アカーは施設側に行為の問題性を提起したが、施設の対応も差別的であった。その後経緯があり、結果として彼らは東京都を相手に法廷で争うことになる（キース・風間・河口、一九九七、第三部を参照）。

「ホモ」「オカマ」を蔑称として用い、からかう行為。これは明らかに差別的な営みである。しかし、風間さんたちが書いているように、初めはそれに対して「怒る」ことすら思いつかなかったメンバーもいたという。

おそらく、こうしたからかいや蔑《さげす》みはとても嫌なものだろう。でも同性愛者である自分がいったい何者なのかもよくわからずに、からかいや蔑みを受けるのは仕方のないこととして、慣れてしまっている身体。同性愛者とはこのような人間だという、支配的な社会や文化が日々つくりあげているイメージに浸されてしまった自らの精神や情緒。こうした事実に彼らは改めて驚いたのである。

世の中に流布している同性愛者をめぐる偏ったイメージや〝同性愛者とはこのようなやつ

らだ〟という決めつけ。それらは同性愛者として生きている彼らの現実からかけ離れたものであるにもかかわらず、同性愛者のことを饒舌に語っていく。

他方、同性愛者であることを受け入れながらも、世の中にある決めつけや否定的な評価に影響され、自らの存在とは何なのかを悩みながら生きている自分たちの姿があった。

決めつけやからかい、蔑みに対して、自分はそのような存在ではないことを積極的に語りだし、同性愛者であることを肯定的に語りだす困難に、彼らは直面したのである。

世の中で常に増殖されていく圧倒的な排除、差別、無視の言説という〝塊〟。それに対抗する言葉や論理をもたない〝空洞〟としての自分たちの姿。この非対称的な権力のありように、くさびを打ち込んでいく営みとして、彼らはさまざまな活動を始める。

因われに気づき、相対化する

彼らも書いているように、裁判を起こすことは、大きな決断だっただろう。

裁判では、ある事実についてどこがどのように問題なのか、訴えた相手の行為がどのように問題なのかを、言葉で説明しなければならない。さらに〝社会通念〟を遵守して仕事をする裁判官たちを相手に、彼らが納得できるような言葉や論理を駆使して、説明する必要がある。

とすれば、彼らの決断は、ゼロからの出発ではなく、いわば大きなマイナスからの出発となる。なぜなら、彼らへの差別、排除があたりまえの〝社会通念〟それ自体を撃ち、あたりまえの差別、排除の論理の問題性を暴き、それを転倒させる〝新たな〟言葉や論理を創造しなければならないからだ。

具体的にいえば、同性愛者とは誰のことかを明らかにし、同性愛者として社会で生きることの正当性を明快に語りだす言葉や論理を創造する営みが、性急な課題となったのである。

そして、風間さんたちは、自らの生きてきた経験を互いに語りだし、自分たちの存在の意味を確認する作業をすすめていく。こうした語りだし、語り合いは、さまざまな感情や動揺を呼び起こしただろう。

積極的に自らを語りだす人もいれば、なぜ自分のことをみんなの前で語る必要があるのか、からかいや蔑み、差別という嫌な体験、できれば黙っておきたいようなことを、なぜ語りださねばならないのか、と逡巡する人もいるだろう。

いずれにしても彼らが語るのは、支配的な社会や文化が勝手に決めつけた同性愛者イメージに囚われた自分の姿であり、そこから沸き起こってくる感情だ。

この囚われにまず気づき、それを相対化していく必要がある。そのために彼らは、個別具体的な人生の語りを聞き、語り合うなかで、多様な同性愛者の姿を確認していくのである。同性愛者である〈わたし〉から、同性愛者である〈わたしたち〉へ。さらに、支配的な社会や文化に対抗する公に開かれたカテゴリーとしての同性愛者を生きる〈わたしたち〉へと、自らの認識を変貌させ、〈わたし〉が生きる意味を〝分厚く〟していくのである。

「場を共有する者の様々な経験や感じ方の差異をともなったライフヒストリーを聞くことによって、抽象的ではない具体的な同性愛者たちが立ち現れるとき、同性愛者が実に多様であることを、自身を縛っていた固定的な同性愛者像が実は空虚な人形だったことを私たちは気づくことになる」（キース・風間・河口、一九九七、一九四頁）

「語りがホモフォビアに抵抗する語りとなるためには、自己のうちに内面化されたホモフォビアを自覚し、それと闘っていなければならない。（…）自己の中のホモフォビアについて考えることなしに、社会のホモフォビアと闘うことはできないのだ。カミングアウトを通して、語られる存在から自ら語る存在になっていくプロセスは、同性愛者同士の語りによって完結するものではなく、私たちがどのように表象されるかに関して社会のホモフォビアと闘うことも含まれる。（…）私たちが語らなくても『異性愛者』によって同性愛者について語られる現実がある以上、私たちは注意深く、戦略的に語り続ける方法を探っていかねばならないのだ」（キース・風間・河口、一九九七、二二四〜二二五頁）

近年、ゲイ、レズビアン、トランスジェンダー、異性装者など、性的なマイノリティとされる人々の体験記、手記、エッセー、さらにはセクシュアリティをめぐる理論書、生き方の処方を語る書、映画、ドキュメンタリーなどが多く出ている。書店に行けばコーナーがあり、多くの本を手に取ることができる。

たとえば映画では、私は『二十才の微熱』『渚のシンドバッド』『ハッシュ！』という橋口亮輔監督の作品がとても好きだ。監督自身ゲイであることを公表し、彼自身が年齢を重ねるなかで、撮りたいもの、撮るべきものを作品にしているからだ。今後さらに加齢するなかで、彼はどのような作品を創造していくのだろうか。

性的なマイノリティとされる人々が、いま、積極的に語りだし、自らの存在の〝あたりまえさ〟を主張し、支配的なものの見方を揺り動かそうとしている。他方、彼らをからかい、蔑み、差別し、自らの日常から締め出すことに躍起になり、彼らの〝侵入〟に怯えている現実がある。

私たちは、彼らが「語りだす」多様な実践にきちんと向き合い、〝彼らに怯え、彼らを排除する現実〟を少しずつでもいいから壊していく必要がある。そこにこそ、彼らの「語りだし」を調べる意味がある。私はそう考えている。

自分史を語ること、書くこと

自分が生きてきた「人生の物語」を書くという営み。それが一九八〇年代からブームになり、いまにいたっているという。

自分史を書くという営みがどのように展開しているのか。それを詳細に調べ、自分史の意味を読み解いている本がある。小林多寿子『物語られる「人生」——自分史を書くということ』（学陽書房、一九九七）である。

小林さんは、数百冊もの自費出版された自分史を渉猟《しょうりょう》し、実際に書いた人、自分史を書くという営みを拡げていこうとする人のところへ聞き取りに出かけ、その現実を明らかにしている。

小林さんは自分史を五つのタイプに分けて論じている。

【ともに書く自分史】

常に誰かとともに自分の体験を綴っていくタイプである。戦前、生活綴り方運動があり、戦後、生活記録運動があった。民衆史家の色川大吉が自分史の試みを書くなかで、八王子の橋本義夫が始めた「ふだん記」運動を紹介している（色川、一九七五：色川、一九九二：色川、一九九四など）。

日常の何気ないできごとを綴っていこう。決して上手な文章を書く必要はない。それぞれ自分が書ける文章を書き、それを読み合い、感想を述べ合うなかで、普段のできごとが記録され、自分の生活に根ざした歴史が語られていく。そして、自分の経験をともに書いて読むという共同体ができあがっていく。

【物語産業から生まれた自分史】

八〇年代以降、自分史を自費出版する人が増えていくなかで、大阪で自費出版センターを設立した人がいた。彼は自分史を書くためのマニュアルを売り出し、できれば一度自分の歴史を書いてみたいと思う人々へ、執筆から出版までの導きを与えたのである。おそらく人は、人生で一度は自分の本をつくってみたいと思うのではないだろうか。「人生の物語」が、そうした処方に従って「商品」として生産され、同じく自分史の書き手たちがそれを読むことで消費されていくのである。

【地域共同体と自分史】

自分史は単に個人の物語ではないだろう。特定の地域のなかで、その一員として生きてきた人々。彼らの人生は、たとえば地域で伝承されてきた文化やできごとの記憶と切り離すことができない。むしろ、そうした伝承や記憶との関連で語りだされることで、より意味のある自分史が創造されていくのである。

【読者をえた自分史】

自分史は、書くことだけで完結するものではない。その作品は常に誰かに読まれることを求めていると小林さんはいう。自分史を物語産業として確立させた人物は、自費出版された本の図書館をつくり、それが全国で回覧できるようなシステムをつくりあげた。商業ベースで書物が流通するのでなく、自分史を読みたいと思う人のところに、自費出版されたものが届き、読まれるようになったのである。この工夫により、誰かに読んでほしいという自分史の書き手の願いはかなえられる。書き手の想像を超えたところで読者が広がることになったのである。

【賞をめざした自分史】

一九八九年、北九州市は自分史文学賞を設立した。毎年四〇〇～五〇〇点の応募があるという。人は人生で一度は、優れた私小説を書くことができるというが、文学のジャンルとしての自分史が新たに求められているのだ。これは、先にあげた、普段の文章を書き、メンバーで読み合い、さらに書いていくという営みとは異質だろう。ただ、自分の「人生の物語」を綴るだけではなく、文学として、より洗練され、より完成された作品として読まれることが求められるのだ。

それぞれの詳細は、小林さんの本を読んでほしい。こうした区分けは、特にある一貫した論理から出てきたものではないだろう。しかし、自分史をめぐる現実や歴史を整理し理解するうえでの手がかりになる。

おさえきれない思いのわきあがり

それにしても、なぜ人は、自分の人生のできごとを単に記憶としてとどめておくのではなく、文字で「人生の物語」を残そうとするのだろうか。

小林さんの整理や読み解きをみるかぎり、一つの思いが浮かびあがってくる。それは、自分の「人生の物語」を誰かに届けたい、誰かに読んでほしいという思いだ。

日記をつけることと自分史を書くこと。これは根本的に異質なものだろう。もちろん政治家の日記のように、後で公にすること、誰かに読まれることを前提とした営みもある。しかし、一般的に日記は個人の経験を書きとどめておくものであろう。

こう書きながら、たとえば私の母のことを思い出す。

母は八〇歳になろうとしているが、毎日家計簿をつけ、その欄外にその日のできごとを書きつけている。私が大学に受かり、上京し、最初に何をして、寮に入るために何を買ったのか、その値段はいくらだったのか。母は克明に書き残している。

かつて私はそのことを知り、驚いた。一人の生活者の視点で、当時の生活の詳細や品物の値段、社会的な事件の感想が記録された、とても貴重な資料だからだ。死んだら私にくれと頼んでいるが、母は棺おけに一緒に入れて燃やしてくれという。

なぜ、自分史を書く人は、誰かに読んでもらいたいと思うのだろうか。

やはり、そこには個人の人生の枠内だけに収めておけないような、思いのわきあがりがあるのだろう。

識字を学ぶ人が語りだし、同性愛者が性的マイノリティである自分を語りだすのは、自分の〈ひととなり〉が根底から揺り動かされる経験があるからこそだろう。

しかし、人が語りたいと思うのは、そうした〃大きな深い〃できごとがあるからだけではない。いや、言い方を変えよう。傍から見れば、些細なつまらないできごとであっても、それを生きる〈わたし〉にとっては、とても〃大きな深い〃ものであるかもしれない。

人生で起こるできごとの意味を、どこから、どの視点から語るのか。できごとを経験した当事者が、自らの記憶、自らの思いをてがかりとして、自分の言葉で語りだす。世の中のきまりやものの見方、標準的な理解では、おさまりきらないような生きる意味があるからこそ、人は、語り、書くのではないだろうか。

自分は、世の中を生きている圧倒的多数の中の一人にすぎない。しかし、それは砂漠の中の砂粒ではなく、個性をもち、自らの視点で、世の中を眺め理解し、生きている、他の何ものにも代替できない一人なのだと。

そして、かけがえのない一人が書く自分史は、それを読みたいと思う人々によって、その意味が確かなものになっていく。小林さんのいう〃書き、読む共同体〃の意味がそこにあるのではないだろうか。

語りだす力の源へ想像力をふくらませる

たとえば、自分史を書いたり、語りだす営みは、生活者のリテラシー（読み書き能力）という問題に大きく関わりがある。これは、暮らしの中で、私たちがいかに現実を書き、読み、思う力を創造できるのかという点で、とても興味深い社会学的なテーマとなる。

もちろん、そうしたテーマを軽視するつもりはないが、私はやはり、支配的な社会や文化が当然のようにもっている価値観やものの見方に対抗し、それを何らかのかたちで相対化していこうとする語りだしに興味を感じてしまう。

世の中の常識的な生き方に「適合」できない私は何者なのか。「適合」できないでいる私が問題なのか。それとも息苦しさを強制してくる世の中のありようこそが問題なのか。自らの〈ひととなり〉について、どう理解したらいいのか。

自分が生きていくための言葉や理屈、情緒をもとめて人々は語りだす。

また、ゲイスタディーズの実践のように、自らの存在に適切な場所を与えようとしない世の中の問題性を暴き出し、差別的なありようを批判し、新たな生活世界の創造をもとめ、既成の価値観や常識を転倒させるラディカルな言葉や論理を独自に編み出そうと、人々は語りだす。

また、医療や福祉の世界でのカテゴリーによって、周りから勝手に自分の生きている世界のありようを決めつけられている人々がいる。

たとえば、痴呆症という言葉。痴呆という言葉がもつ否定的な意味合いが問題となり、いまは認知症という言葉にかわっている。「痴呆」という言葉の常識的な理解や、痴呆とはこのようなものだという決めつけをあたりまえと感じ、反省することなく受け入れているかぎり、認知症を生きている人々の〈生〉に届くことはない。

そういう決めつけに対して、自らが生きている世界を語り、自分たちの眼から見れば、世の中はこのように見えているのだと語りだす人々がいる。

自分たちは世間の人々が考えているような存在ではない、でも多くの「普通」の人々とは、このように異なる世界で生きているのだ、と。

たとえば、ニキ・リンコ、藤家寛子『自閉っ子、こういう風にできてます!』(花風社、二〇〇四)という本がある。アスペルガー症候群(自閉症スペクトラムの一種。自閉症と同じ障害をもつが、知的障害はなく、言語発達の遅れもない)を生きる彼女たち。自分たちが普段どのように感じ、どのように生きているのかを、対談のかたちでわかりやすく、面白おかしく語りだす。

この語りを読み、まず私は驚いた。そしてその後、私の中にある自閉症に対する勝手な決めつけに、確実に亀裂が入っていったのである。

さまざまな状況のもと、人々は自らが生きている世界を少しでも変えていこうとして、語りだす。世の中を調べようとする社会学者は、語りだす力を、できるだけ敏感に感じ取り、自らの分析や解読に利用する必要がある。

ただそれは、人々の語りを読み、自分が感動した部分、重要だと思える部分をそのまま切り取ってきて、引用することではない。

たとえば、薬害の被害者や遺族の手記には、怨念がほとばしるような医者への批判、非難が語られている。その部分をそのまま切り取り、「当事者たちの思い」として論文や調査報告書で使っても、それは〟語りだす力と向き合うこと〟ではない。

批判や非難の言葉が強烈で印象的であればあるほど、なぜ、どのようにして、こうした言葉が語りだされたのだろうかと、語りだす力の〟源〟とでもいえる何かに向かって想像力をふくらませ、語った人、そして、語りの背後にある現実を調べようとする営み。それが語りだす力と向き合うセンスであり実践の一端なのである。

第六章　「あたりまえ」を疑う

「人々の方法」という発想――エスノメソドロジーという営み

これまで「はいりこむ」「あるものになる」「聞き取る」「語りだす」について、私自身の経験を語り、また、興味深いモノグラフをとりあげて私なりに解釈し、その意味や感じるところを語ってきた。

もちろん、他にも優れた調査実践が数多くある。社会調査論のテキストを見れば、著名な質的調査をめぐる文献リストがあるだろうし、松田素二・川田牧人編著『エスノグラフィー・ガイドブック』(嵯峨野書院、二〇〇二)や佐藤郁哉『組織と経営について知るための実践フィールドワーク入門』(有斐閣、二〇〇二)などを読めば、自らの身体やこころをフィールドという現場に放り込んで、その現実と出会い、調べるという営みが、いかに奥深いものであるのかが、実感できるだろう。

関心のある人は、ぜひ、フィールドワークという〝洞窟〟のさらに奥へと探検してほしい。

さて以下では、世の中を質的に調べるセンスや営みの基本というか、根底に流れている核心について、語っておきたい。それは、端的に言えば、あたりまえを疑うというセンスであり、営みだ。では、どのようにして、あたりまえを疑えばいいのだろうか。

現代の社会学には、私たちの暮らしの大半をおおっている「あたりまえ」の世界を解きほぐして、そのなかにどのような問題があるのかを明らかにしていこうとする営みがある。それは、エスノメソドロジー（ethnomethodology）と呼ばれているものだ。

ethnoとは辞書を引けば「人種、民族の」とあり、methodは「方法」という意味だ。エスノメソッド＝「人種、民族の方法」。これでは、なんのこっちゃ？　だろう。

私なりに意味をとれば、こうだ。

人種、民族など、さまざまな違いをもつ人々が他の人々とともに生きている現実があり、その現実を〝適切〟に暮らすことができるように普段から私たちが用いているさまざまな「方法」のことだと。しかし、これでもまだよくイメージできないだろう。

私は大学で、エスノメソドロジーを講義するとき、学生たちにそれが何かを実感してもらうために、多くの例をあげる。

たとえば、「皆さんは、この教室に整然と座って、私の話を聞いているが、皆さんがこうして教室にすえられたイスにあたりまえのように座っていることは、驚くべき現象ではないだろうか」と。

大半の学生はきょとんとし、なに言ってんねん、この先生は？　といぶかしげだ。

「皆さんがこうして整然と大教室で長時間座っていられることは、これまで受けてきた学校教育の成果の賜物なのだ。

たとえば、私は息子の保育園入園式にでたことがある。そこでは入園する新しい子どもたちが一番前に座り、その後ろに年長さんたちが座り、保護者がいる。そのとき、三〇分くらいの式だったが、新しく入園する子どもたちは、ほとんどが一時たりともじっと座っていなかった。もぞもぞする子もいれば、立ち上がってうろつく子もいた。私の息子も例外ではなかった。でもそれはある意味でほほえましい光景だ。

しかし、数年後の入園式で私は驚いた。かつてうろついていた子たちが、迎える側にまわり、身じろぎもせず座っていたのだ。私の息子も、それがあたりまえだといわんばかりにおとなしく座っていた。いったいこの変貌ぶりは何なんだろうか。彼らに何が起こったのだろうか。保育士さんたちは、息子に、子どもたちに何をしたのだろうか。もちろん、それが保育園の教育であり、しつけだよと、説明してくれる人が多いだろう。でも私はそんな説明で納得などしない。

園児たちはどのようにして、〝入園式などの場でじっと席についている〟ということを、毎日をすごしていくうえで使える知識として理解し、身体をコントロールできる営みを身につけて、日常へ位置づけていったのか。

公の場で〝園児〟として、さらにいえば年長さんとして〝適切に〟ふるまう『方法』を、息子がどのようにして身につけていったのか。

こんな問いが私のなかに生じてくるのだ。

彼らを〝園児〟にしていく、さまざまな保育園の日常的な実践があるのだろう。しかし、それを『しつけ』『教育』という言葉で〈外〉から説明するのではなく、具体的にどのような実践が、保育士さんと子どもたちの相互のやりとりのなかで行われているのか調べたいと思うし、そこでつくられていく『方法』をとりだしてみたいと思う。

なぜ皆さんは、この教室に入ってきて、無意識のうちに、窓ぎわや後ろの席から座っていくのか。どうして教壇を中心としたあたりが、いつも空いているのか。皆さんがこれまで何らかのかたちで身につけてきた〝教室で座る方法〟〝大教室で講義を適切に（あるいは適当に）受ける仕方〟を使っているのではないだろうか」

このあたりで、聞いている学生の半分くらいは、はぁ、ものの見方が違うんだなと興味深い表情に変わり、私のほうを向いてくれるのである。

もちろん他の学生は、あいかわらず、なに言ってんだ？　と下を向いたり、別のことをしたり、どこを見るでもない、焦点の定まらない視線を保ち、特有のポーズで座っている。

そして、まさにこうした学生の多様な姿勢や営みも、彼らが〝大学の講義を受ける〟のに用いている「方法」であり、その実践が「いま、ここ」で、〝講義という現実〟をつくりあげているのだ。

「人々の社会学」というイメージ

エスノメソドロジーという言葉や、社会学の新たな発想は、H・ガーフィンケルという人物がつくりだした。

彼はかつて、裁判における陪審の研究をしたことがある（ガーフィンケル「エスノメソドロジー命名の由来」H・ガーフィンケル他、一九八七、せりか書房、第一章参照）。

陪審員たちのやりとりを隣の部屋から盗聴し、コミュニケーションの特徴を分析しようとして、彼はあることに気づいていく。

陪審――。それは対象となる人間の人生を左右してしまうような重要な事柄を決める仕事である。法律的な専門知識や過去の判例など、いわゆる裁判に関わる知識が大事であり、裁決に関する議論では、裁判の中身に関わるやりとりが中心になるはずだろう。

しかしガーフィンケルは、陪審員たちの具体的なやりとりを解読するうちに、彼らがほぼ無意識に行っている別の大切な営みに気づいていく。

それは、裁判の中身をめぐる議論ではなく――〝陪審員であること〟〝陪審員をしていること〟――つまり、自分たちがいまどのように陪審をしているのかを、互いに確認しあうようなやりとりであった。言い換えれば、その場の現実に適切に対応していくための、形式的なやりとりである。

たとえば、自分たち以外の市民がやったとしても、きっと同じような議論を経て、同じような決定に至るだろうし、その意味で、自分たちの営みは決して〝変わった〟ものではなく、〝普通、誰が考えてもそうなるだろう〟ということを確認しあうやりとりである。

繰り返すが、これは明らかに裁判の中身の議論ではない。当事者たちが、いま、ここで陪審員をしていることと、どのようにして（how）陪審をしているのかを確認しあう「方法」なのである。

たとえば陪審の要項などに、こうしたやり方が書かれているわけではないだろう。それは、「いま、ここ」で、当事者たちが用いている「方法」であり、「社会学」的な実践なのである。ガーフィンケルは、こうした「何者かになる」「何事かをする」うえで私たちが用いている「どのようにして（how）」をめぐる営みや、実践知を解読対象とする研究に名前をつけようと考え、エスノメディスン（民間療法）などの言葉をヒントにして、エスノメソドロジー（エスノメソッドの学）と命名したのである。

エスノメソッド。これはなかなか日本語にしにくい。あえて訳せば「人々の方法」であり、エスノメソドロジーは「人々の社会学（folk sociology）」になるだろう。

ガーフィンケルが参考にしたエスノメディスン（民間療法）とは、医学のような体系立てられた学問世界ではなく、人々が自らの生活経験から得た多様な治療法である。人々が自ら創造し、実践する病気への対処方法なのである。

「民間の」「人々の」という発想。そこにあるのは、整理された形式合理的な知識を用い、私たちが暮らしている生活世界の〈外〉から、それを説明する営みとしての「社会学」ではない。人々の日常の営みから立ち上がり、そのなかで実際に使われている知と出会い、それを取り出し、読み解いていく「社会学」の姿である。

見えており、やっているけど気づかない営み

普段、私たちはどのような「方法」を使って、他の人やできごとと関係をつくりながら、〝適切〟に暮らしているのだろうか。「方法」の織物として、私たちを見る発想。「方法」を用いながら達成されるものとして、日常の秩序や物事の現実を見抜こうとする発想。

私たちが、普段あたりまえに生きているとき、それは〝何もしていないあたりまえ〟ではなく、さまざまな「方法」を微細に駆使しつつ他者とともに生きている。エスノメソドロジーというものの見方には、こうした人間のイメージがある。

たとえば、家族の日常を考えてみる。

「母親」「父親」などという、家族を構成するメンバーの機能や役割のような、いわば〈外〉から家族という現象を説明する道具は使わない。日常、どのように私たちが〝家族であること〟をお互いに実践しつつ暮らしているのか。その営みをあたかも異邦人のようなまなざしで詳細に見つめようとする。

朝、いつ誰がどのように起きてきて、どういう順番で、いつごろトイレに入るのか。朝食をとるとき、誰がどこに座るのか。新聞は誰が取り入れ、最初に誰が読むのか。学校から子どもが戻ったとき、誰がどのような言葉をかけるのか。子どものどんな語りを聞いて、その日特に何もなかったことに安心するのか。夕食時、テレビを見るとき、リモコンはテーブルのどこに置くのか。誰がどの時間帯にそれを使っているのか、等々。

家族の日常の秩序がどのように維持されているのか。それは、家族のメンバー個々が、お互い、多様な場で微細な営みをすることをとおして、その場その場で成り立っていることがわかる。

そして、その営みの大半は、家族のメンバーには〝見えており、やっているけど気づかない営み〟なのである。

ちょっと意識して、普段何気なくやっていることをしなかったり、変えてみたりする。すると、家族の日常にさざ波がたち、秩序を維持している営みのなかにある問題が見えてきたりする。

エスノメソドロジーは、こうした発想で、あたりまえの世界へはいりこもうとする。

人々があたりまえのようにつくりあげている秩序の様相は、家族のような小さな人間の集まりに限られるわけではない。学校や病院、刑務所、高齢者ホームなど、施設と呼ばれる現実の秩序もまた、優れて意味のある解読対象となる。

コードを語ること

「コードを語る（telling the code）」という研究がある（ウィーダー「受刑者コード」H・ガーフィンケル他、一九八七、第五章参照）。

ウィーダーは、麻薬中毒の受刑者を矯正する施設にはいりこみ、スタッフと収容者間のコミュニケーションを詳細に観察する。そして彼は、スタッフと収容者が日常つくりあげている秩序を説明するものとして、いくつかのコードを取り出していくのである。

「とりわけ告げ口だけはするな」「白状するな」「他の住人につけこむな」「持っているものをわかちあえ」「他の住人を助けろ」「他の住人の利益の邪魔をするな」「職員を信頼するな——職員はサツだ」「住人たちに、おまえさんの誠実さを示せ」といったものだ。

これらのコードは、ウィーダーが施設にはいりこみ、収容者の姿を観察し、彼らのやりとりを聞き、会話する中で、抽出したものであり、施設に住む当事者たちが語る言葉からできている。

通常の社会学であれば、取り出されたコードは、施設の現実や秩序を〈外〉から説明する道具となる。たとえば、秩序から外れる営みがあれば、それは現実を説明するコードの逸脱事例として、さらに説明されていくのである。

しかし、ウィーダーの研究は従来の社会学的な説明では終わらない。彼は「コードを語る」という、施設の日常で行われている彼らの営みに焦点をあて、その意義を論じていくのである。

「おれはチクったりなんかしないことぐらいわかってるだろ」

ウィーダーは、彼やスタッフが収容者と親しげに話しているとき、しばしばこう言われ、親しげな会話が終わりを告げたと語っている。この発話は、語られる瞬間、多くのことを実践しているのである。

まず、自分は告げ口などしない、という表明である。さらにそれは、たった今自分が言われた言葉の意味を、相手に伝えている。すなわち「あんたがいまおれに『告げ口をしてくれ』と言ったことになるんだぜ、わかるか」と。

さらに、この発話は、お互いの関係を確認している。「告げ口なんかしない」と語るおれは収容者であり、あんたはスタッフ（サツ）なんだぜ。そこのところをよく理解して話をしろよと。そしておれは他の収容者とともにお互いの利益を守るのだと。施設における収容者とスタッフの距離や、役割関係が続いていることを確認するのである。

施設の日常、収容者やスタッフが何気ないやりとりをしているように見える。しかしそれは、〝何気なく、意味のない〟ものではない。仮にスタッフが収容者の生活世界へ侵犯してきたら、「コードが語られ」、侵犯していることが互いに確認され、スタッフは撤退するだろう。

常に「コードが語られ、聞かれる」ことをとおして、メンバー個々が、適切な関係や距離、居場所を確認し、その場その場で秩序がつくられていくのである。

ウィーダーは、現実を説明するための道具としてコードを抽出したのではなく、当事者たちがコードを〝語る〟という実践に焦点をあて、現実を秩序立てていく様相を記述しようとしたのである。

エスノメソドロジーは、人々の〝生きられた秩序〟〝生きられた規範〟のありようを解読しようとする。そして「コードを語る」さまを見ようとするのは、たとえば、施設の現実で展開されている当事者たちの営みを読み解いていくうえで、素朴ではあるが、役に立つ発想だと思う。

グラウンディッド・セオリーという方法的要請

ところで、近年、福祉や看護の領域で、質的な調査研究アプローチとして、「グラウンデイッド・セオリー（grounded theory）」がはやっているようだ（グレイザー&ストラウス、一九九六）。

そのアプローチでは、できるだけ対象となる現実に近づき、人々が実際に使っている知やそこで〝生きられている〟言葉や概念を調べることが基本となる。

ただ、このアプローチを厳格に使用したと主張する論文を読むと、多くの場合、端的につまらないと感じてしまう。

たとえば、何カ月かかけて福祉施設に入り込み、そこで語られる言葉を収集し、起きたできごとを詳細にノートにつけ、施設のメンバーたちの反応を細かく記述していく。そうして集まったデータを眺め、共通部分をまとめて整理できる言葉をつくりあげ、施設の現実の特徴を、より一般的な言葉で分析しようとする。

私は、この言葉や概念から〝生き生きとした人々の現実〟を感じ取れない。分析もいかにも平板な印象であり、せっかくそれだけフィールドワークしたのに、なぜわざわざ台無しにしてしまうの、と感じてしまうのだ。

なぜだろうか。

このアプローチは、人々の現実から、その現実を読み解くための道具を立ち上げていくのだが、結果的に現実から切り離された抽象的・一般的な言葉や概念、理論装置へと、研究者によって恣意的に作り変えられてしまうからではないだろうか。

グラウンディッド・セオリーというアプローチ——それは、質的なデータを収集し、データと対話をしながら、それを加工し、そこから理論的な言葉を作りだすためだけの方法ではない。

グラウンディッド（grounded）という言葉に象徴されているように、それは、人々が生きている現実に基礎づけられ、あるいは根をおろし、そこから決して乖離することなく現実で生きられている規範や秩序などを取り出し、読み解いていくアプローチである。

調査研究する者は、取り出され、読み解かれた概念や理論装置で再び武装し、現実から離れた高みに立とうとせず、調べている現実と同じ場所に居続けようと、できるだけ努力をすべきだろう。

エスノメソドロジー的なものの見方と響きあう調査研究の根底にある〝生きられた規範〟

〝生きられた現実構築のための知〞を感じ取るセンスをかぎりなく洗練させるべし――このアプローチは、そういった〝方法的な要請〞として理解すべきではないだろうか。

日常的な相互行為を読み解くまなざし

エスノメソドロジーは、会話という現象を探究の対象とする。なぜなら、私たちは、普段、あたりまえのように会話し、生きているからだ。

従来の社会学では、会話という現象は、それ自体として探究されることはなかった。それは言語学の対象であったり、コミュニケーション論として、意思伝達のありようは探究されたとしても、会話することそれ自体の社会学的な解明はなかったのだ。

しかし、常に「方法」を駆使しつつ、他者と関係をつくる存在として人間を考え、日常的な現実を捉えようとするとき、会話することは、現実の多くの部分を占めるものであり、「人々の社会学」を調べるうえで、きわめて重要な対象となる。

では、具体的に、どのように会話を解読するのだろうか。

最初の頃は、会話を録音する機材も限られていた。しかし、飛躍的な技術革新のおかげで、いまでは録音された会話だけではなく、ビデオ映像から、言語的なやりとりだけでなく相互の身体的な関与のありよう——視線の方向、仕草などの相互行為への関連の仕方——など、まさに会話的な相互行為の分析が中心となっている。

たとえば西阪仰さんや串田秀也さんの一連の仕事は優れたものだ。関心のある人はそうした成果を読んでほしい（西阪、一九九七：二〇〇一。串田、一九九七a：一九九七b：二〇〇二など）。

ここでは、日本で最初に行われた会話分析について少し語っておきたい。

それは「性差別のエスノメソドロジー」というものだ（山田・好井『排除と差別のエスノメソドロジー』新曜社、一九九一、第五章参照）。

当時すでに、会話それ自体を分析することで、私たちが普段、会話を円滑にすすめていくのに用いている、さまざまな方法や装置が明らかにされていた。この会話を組織化していく「方法」や「装置」は、現在でも研究を行う基本的なよりどころとなっている（好井・山田・西阪編『会話分析への招待』世界思想社、一九九九、第一章参照）。

たとえば、「順番取得（turn taking）」という問題がある。それは会話における発話する権利を、会話している者どうしでどのように配分するのか、ということだ。誰がいつ、どれくらい、しゃべるのか。これは会話をスムーズに進めるうえで、当事者たちが解決すべき問題であり、現実に解決している問題なのである。

さらに言えば、相手に伝えるべきことを伝える、しゃべりたいことをしゃべりきることは、会話という秩序を達成していくうえできわめて重要な問題なのである。

ハーヴェイ・サックスたちは、録音した多くの会話を詳細に読み解くことで、会話者が会話を続けるなかでどうやってこの問題を解決しているのかを明らかにした。

簡単に言えば、次のようなことだ。

会話には、ある人がしゃべり続けることができる場があり、基本的にその場で、ある人は自分のしゃべりたいことをしゃべりきることができる。それが一定時間続くと、話し手が交代できる場がくる。そこでは、会話している者どうしが互いに相手の反応を微細に見ながらやりとりし、次に話す人が決まっていく。

このように、一人がしゃべる場と話し手が交代できる場の繰り返しで、原則として会話は進んでいくのである。

当時、サックスたちの論文を読み、私は驚いた。会話はただ話し合っているのではないのだ。常に会話の当事者たちが、相手の発話のありようや身体的なしぐさなどを詳細にモニターし、それに反応しながら会話という現象をつくりあげている。〝絶えずさまざまな「方法」

を駆使して〃会話という現実を生きている人間の姿が見事に論じられており、驚いたのだ。

男女間の微細な権力行使の様相

優れた論文を読むと、さらなる関心がわきあがってくるものだ。

サックスたちが想定し、考察の対象としているのは、自然に生起する会話である。そこでは均等に発話する権利をもつ、同じような人間がイメージされている。

とすれば、このような会話を組織化する「方法」を手がかりとして、均等ではない、バランスを欠いた会話的な相互行為の解読ができないだろうか。すでに海外には先行研究があったが、日常会話における男女間の微細な権力行使の様相を、日本でも例証してみたいと思ったのである。

学生たちの協力を得て、会話を録音し、できるだけ話されているとおりに書き起こしていく。男性同士の会話。女性同士の会話。男女間の会話。

話されている内容を起こすのではない。話された音を聞き取れるかぎり、そのまま再現し、文字にしていくのだ。言いまちがいや言いよどみ、あいまいな発話も、聞き取れる限り、そのまま書き起こしていく。沈黙は秒数をはかり、書き込んでいく。たいへん時間のかかる作業だ。

しかし、会話を詳細に書き起こしていく営みは、単にデータを作成する作業ではなかった。書き起こす過程で、同時に、その特徴を感じ取り、読み解くことができたのである。

会話を進めるうえで、男女間では対照的な特徴があった。

たとえば、お互いの発話への支持作業のちがいだ。女性は男性の発話に対して、「ん」「そうー」「へぇー」「すっご〜い」などの「あいづち」や「うなずき」を頻繁に行っていた。これは、明らかに相手の語りを評価し、さらに話を進めていくことを支持する営みだ。

対照的に、男性は女性の発話に対し、こうした支持作業をそれほど積極的に行っていなかった。

また、同性間の会話に比べ、男性が女性の発話に割り込んでいく割合が多かった。

会話における割り込み。これは単に相手の話をさえぎることではない。発話する権利の配分という点から考えれば、ゆゆしき権力行使と言える。つまり、それは相手がしゃべることができる場でしゃべりきることを制止する権力行使であり、また、しゃべり終えたあと、会話において次の行為を決めることができる権利をも奪っていくのである。

詳しくは、先にあげた論文を読んでほしいのだが、ここで言いたいのは以下のことだ。

性差別という現象を考えるとき、歴史的な経緯や社会構造的な背景から、その原因を説得的に論じることもできるだろう。しかし、他方でまさに日々、性差別はつくられ続けているのである。

日常的な会話という次元で、いかに男性が女性に対して微細に、しかし執拗に権力を行使し、抑圧しているのだろうか。そのありようを例証し、示していく作業は、世の中を調べる重要な営みといえるのではないだろうか。

この「性差別のエスノメソドロジー」は、まだまだ素朴であり、解読の仕方も荒っぽいところがあると思う。しかし、日常のいたるところで微細な権力が行使され、人々が名状しがたい「生きづらさ」を感じているとすれば、この作業は、それを目に見えるかたちにする営みでもあり、人々が「生きづらさ」にどのように対処して生きていけるかを考える手がかりになるのではないか。

会話的な相互行為をエスノメソドロジー的に読み解くこと。それは相互行為それ自体をミクロに明らかにすることだけではない。私たちが、相手に言葉をかけ、ふるまうという次元から、いかに権力が立ち上がってくるのかを見つめようとする批判的な営みであり、その批判の中身は、見つめる私という〈ひと〉に、当然のことながら還ってくるのである。

カテゴリー化というテーマ

エスノメソドロジー的なセンスで「あたりまえ」を疑う、いま一つの重要なテーマ。それは、普段から私たちが行い、それに囚われているカテゴリー化という営みである。

カテゴリー化とは何だろうか。いろいろな説明ができるが、また自分の息子の経験が思い浮かんできた。

彼が小学校の二、三年のころ、私に保育園での経験を話してくれた。「おとうさん、ぼくは保育園のとき、ままごとをするのが嫌だった。ままごとができなかった」と。単にその遊びが嫌だったのかと思い、話を聞いてみると、なかなか興味深いものだった。

息子は「おとうさん」役をさせられたそうだが、その役にどうしても違和感があり、できなかったという。テーブルの前にあぐらをかいて座り、タバコを吸い、新聞を広げて、ご飯ができるのを待つ。何か「クレヨンしんちゃん」にでてくるリアルなままごとのようだが、とにかく「おとうさん」として、そんなことをさせられたという。

私は、その話を聞き、思わず笑ってしまった。当時、彼は、「おとうさん」と言えば、私の存在のことを思い浮かべたはずだ。とすれば、保育園で演じるようにと要請された「おとうさん」の姿や営みは、息子にとって、まったく見たこともない、なじみのないものだったろう。

私はタバコをすわないし、これまで生きてきた人生経験から、できれば家庭内の性別役割という分業を壊したいと思い、毎日をすごしているからだ。掃除、洗濯はするし、夕飯の支度、後片付けもする。食事が運ばれてくるのを、あぐらをかいて待っていたことなどない。後片付けの後は、みんなにお茶を入れる。子どもの運動会や遠足の弁当は必ず作る、等々。

特にフェミニストを気取っているつもりはないし、男性学をことさら強調し、実践しているつもりもない。

息子は、普段からこうした私の姿を見ており、これが「おとうさん」だと思い込んでいたために、保育園のままごとで要請された「おとうさん」に強烈な違和感を覚え、戸惑ったのだろう。

そのとき私は、「家のことを全部きちんとやれるのが、男らしいんだよ」と息子に言い聞かせ、彼はしばらくそう信じていたようだった。もちろん、高校生になった今、そんなことは「おやじのたわごと」であり、世間ではそうでないことをわかりつつ、家での私の姿を見ているのだろう。

たとえば「おとうさん」というカテゴリーがある。それは単にある人間を呼ぶための道具ではない。そこには、いつ、何を、どのようにすればいいのかといった営みをめぐる実践的な処方がはりついているのである。

家庭で、パートナーや子どもに対して、いつ、何を、どのようにすればいいのか。また、仕事場で、同僚や上司に対してどのようにふるまえばいいのか。そうした実践的な処方がはりついているのである。

そして、私たちは「おとうさん」と呼ばれるとき、こうした実践的な処方に乗っかって、できごとを理解したり、個々の状況で〝適切に〟「おとうさん」を「している（doing）」のだ。

私は、世の中で支配的な「おとうさん」をめぐる実践的な処方を、自分の生活世界のなかで、一つずつ〝無効〟にしたいと考え、生きているといえよう。

「おとうさん」カテゴリーの話にこだわり続けるつもりはない。ただ、この例証で言いたかったのは、世の中に流布している、さまざまなカテゴリーや、それにはりついている実践的な処方を〝鵜呑《うの》み〟にして生きていくことは、気持ちのいいものだろうか、という問いかけだ。

そうしたカテゴリーを検討したり、吟味したり、調べたりすることなく、「あたりまえ」に生かしておくこと。それは、私たちが「カテゴリー化する実践」に囚われてしまっている姿であり、この囚われの様相を読み解く営みは、「人々の社会学」を調べるうえで、とても重要ではないだろうか。

カテゴリー化がもつ重要な問題とは

会話分析の創始者、ハーヴェイ・サックスは「ホットロッダー」という短いがとても重要な論考を書いている（サックス、一九八七）。

彼は、支配的文化において若者を指す「ティーンエージャー」というカテゴリーと、ホットロッド（改造車）を乗りまわす若者たちが用いる「ホットロッダー」という自前のカテゴリーを対照させて、その相違を論じている。そこで彼は、私たちが日常的なカテゴリー化を考えるうえで、重要な問題を語っている。

一つは、ある集団についてのカテゴリーを、その集団以外が所有し、それが「支配的な文化」となっているという問題である。

いま一つは、「支配的な文化」という規制から脱して「自分たちのカテゴリー」を創造し実際に使用することで、「支配的な文化」を修正し革新していくことができるのかという問題である。

先に述べた「おとうさん」のように、私たちは、普段、さまざまなカテゴリーを用いて現実を把握している。そのカテゴリーの大半は、サックスのいう「支配的な文化」で生きている。

カテゴリーを用いることとは、単にある者にレッテルをはるだけではない。カテゴリーをあてはめた者がどのような存在であるのか、その存在に対して自分はどのようにふるまえばいいのかなど、カテゴリーをめぐる考えや営みの実践的処方に、私が取り込まれることである。仮に、ある集団に適用したカテゴリーが、集団の存在をまるごと把握し、集団への対応もなんの問題もなく、適切ならば、私たちは、カテゴリー化する実践をとおして、他者と〝まっすぐに、なんの歪みもなく〟出会うことができるだろう。

しかし、現実はまったくそうではない。サックスが言うように、恣意的なカテゴリー化という〝決めつけ〟が世の中に充満している。それに対して、〝決めつけ〟からなんとしても脱するために、新たな自前のカテゴリーを創造し、それを「支配的な文化」に浸透させ、「支配的な文化」自体を変えていこうとする対抗的なカテゴリーの〝せめぎあい〟がある。

前の章で「自らが声をあげ、自らの人生を語りだす」ゲイスタディーズの営みを述べた。「私たちは同性愛者だが、あなたたちの思っているような『同性愛者』ではない」（キース・風間・河口、一九九七、一七九頁）という主張は、「同性愛者」をめぐるカテゴリーの〝決めつけ〟を撃ち、カテゴリーを奪回し、新たなカテゴリーを生成しようとする闘争宣言なのである。

テレビドキュメンタリーの解読

さて、カテゴリー化という営みは、会話することと同じくらい、私たちの日常にあまねくみられる。それを私たちは、あたかも〝空気を吸うように〟普段から自分の生活のなかに取り込み、個々の現実理解に用いているのである。

家族でのやりとり、友人との会話、テレビなどのメディアからあふれ出る無数の言葉、私たちの購買意欲を〝煽ろうとする〟週刊誌の見出しや記事の表現、新聞にみられる〝定番の語り〟等々。数え上げればきりがない。

そこには〝恣意的な決めつけ〟を要請する「支配的な文化」で生きている、圧倒的な量のカテゴリーが満ちているのである。

私は、かつて、テレビドキュメンタリーが見る側に強制してくるカテゴリー化の解読をしたことがある（好井『批判的エスノメソドロジーの語り』新曜社、一九九九、第一〇章）。それは、ある重度障害者の療養施設が行っている地域福祉実践のすばらしさを伝えるものだ。施設で暮らす障害者は、なかなか一人で外出することができない。なんとか外出できないものかと彼らの声に真摯《しんし》に耳を傾けた職員が考案したのが、電動車イスの運転免許制度だった。電動車イスを操ることができれば、施設で暮らす障害者も自由に外出できるようになる。

彼らは施設内で電動車イスの操作ができるよう、自動車教習所さながらのトレーニングを開始する。基本操作トレーニングを施設内で行い、路上教習があり、最終試験がある。トレーニングを指導し、彼らを評価する職員の姿。試験に合格すれば、施設から半径五〇〇メートルの外出ができる運転免許証が施設から交付される。

ドキュメンタリーは、男女二人の障害者が真剣にトレーニングする姿を追い、最終的に免許交付後、二人だけで、近くの喫茶店にコーヒーを飲みに出かけ、施設に戻ってくる姿を中心に構成されている。

論文では、施設が行っている電動車イス運転免許許可制度の意味については論じていない。あくまで、ドキュメンタリーがその実践をどのように見る側に伝えているのかという、構成のありように解読の焦点をあてた。

確かに映像では福祉的な現実が整然と無駄なくまとめられ、上手に構成されたドキュメンタリーだといえる。しかし、私が問題にしたのは次の点だ。

このドキュメンタリーが、地域福祉実践の意義を見る側に伝えるために、「施設に暮らす障害者」＝「一人では何もできない存在」「誰かの手助けがないと何もできない存在」という「障害者」のカテゴリー化を、番組全般を通して行っていたことである。

さらにいえば、「一人では何もできない存在」としての「障害者」カテゴリー化が、番組の進行に並行して達成されることで初めて、地域福祉実践の「すばらしさ」が見る側によく伝わる構成になっていたのである。

障害者の生活を少しでもよくしようとする福祉実践を伝える番組。しかし、そこには、並行して「障害者」イメージをより狭く限定していくカテゴリー化が埋め込まれている。

これを見る多くの人たちは、福祉の「すばらしさ」を実感できるだろう。しかし、実感できればできるほど、「障害者」はやっぱり〇〇なのだ、という〝恣意的な決めつけ〟に呪縛されていくのではないだろうか。

このような、メディアが無意識のうちに、私たちに強制してしまう〝決めつけ〟の実践を、私は批判的に解読したいと思ったのである。

詳細は私の論文を読んでほしいが、なぜ私は、そのドキュメンタリーに注目したのだろうか。最初見たときから違和感はあった。そして、録画したものを何度も見直しているうちに、ある瞬間、ドキュメンタリーの個々のカットやナレーション、BGMが、見ている私に行使しようとしている力を感じ取ったのだ。

このドキュメンタリーは、明らかに私に対して〝何かをしようとしている〟と。あたかも映像が行使する力が、映像から浮き上がって、私に迫ってくるように感じられたのである。

この瞬間の感じ取りを手がかりにして、いったいこの感覚はどこからきたのだろうかと、番組の個々のカット、ナレーションがいつどこでどのように入っているのか、BGMはどのように鳴っているのか、映像の中で人物が何をどのように語っているのか、について、詳細に書き起こしていったのだ。

私自身は、いま、こうした映像が行使する「啓発」の力を、個別に解読したいと考えている。しかし、こうした解読の試みは、別に映像などメディアの言説に限ることはないだろう。

ある問題や現実について、私たちがどのような言葉やカテゴリーを用い、語るのか。〝恣意的な決めつけ〟に囚われ、どのように〝語らされてしまっているのか〟。世の中を質的に調べるとき、注目すべき大切な現象なのである。

日常のなかの違和感

「あたりまえ」を疑う。「あたりまえ」に生きていることを疑う。これは、決して自分の生活に対して疑心暗鬼になることでも、人生を斜に構えて生きることでもない。あくまでも、世の中を質的に調べるセンスであり、具体的な営みであると、考えてほしい。

常に「方法」を微細に駆使して生きる存在としての人間。普段、私たちは、その「方法」を自分が使っていることを意識することはまずない。だからこそ「あたりまえ」の日常は、あたりまえのように過ぎていく。

しかし、私たちは、ほんとうに何気なく、何の抵抗も気がかりもなく、普段生きているのだろうか。もちろんそんなことはあり得ない。さまざまな問題を抱え、どう対処したらいいのか、苦闘しているはずだ。

ただ、ここで私が確認しておきたいのは、世の中でこれが問題だとしてはっきりと定められた問題を苦しみ、それへの対処を考えるという私たちの日常の姿ではない。それは、すでに「問題」が、日常生活――「あたりまえ」の世界――から切り出されたかたちで私たちの前に示されているからだ。

もちろん、世の中でこれが問題だとしてははっきりと定められた問題については、それがいかに問題として構築されていくのかを問い直す社会学的な営みがあり、それはそれで重要だ。そうではなく、普段生きているときに、思わず感じてしまう、なんとも言いがたい違和感や「生きづらさ」。

社会問題の生成を人々の日常的で根源的な生きざまから考察する草柳千早さんの言葉を借りれば、「曖昧な生きづらさ」であり「問題経験」かもしれない(草柳、二〇〇四)。

こうした違和感や、〝嫌だなぁ〟と思う感覚は、ある瞬間、私の中に沸き起こり、すぐに消え去っていく。なぜそのように感じるのか。じっくりと自分の暮らしや仕事場の状況を考えてみたいと思う。しかし、忙しくてそんな暇などない。まさに「あたりまえ」の世界が私に迫ってきて、違和感を覚えた私の「瞬間」を覆い隠してしまう。

しかし、それは決して違和感を消し去ってしまうものではない。違和感へのこだわりはどこかに残り、レバーブローのように、次第に私に〝効いてくる〟のである。

たとえば、職場で、日常的に女性の身体や容姿をからかい、セクシュアル・ハラスメントを繰り返している男性がいるとしよう。彼にとって、それは〝ただの冗談〟であり〝職場の女性への親愛の表明〟〝職場の雰囲気を楽しくする潤滑油〟かもしれない。しかし、日常的にからかわれる女性はたまったものではないだろう。

まともに抗議すれば「冗談だから」「そんなことに目くじらたてるなんて大人げがない」といなされてしまう。さらに男性が上司であれば、職場の権力関係があり、なおさらまともな抗議はできないだろう。怒りや憤り、でも仕事をしなければという諦めが、次第に蓄積され、こたえてくるのである。

こんなとき、どうすればいいのだろうか。

思いつくのは、ハラスメントのからかいを繰り返す男性の姿を、職場の日常で〝浮かせてしまう〟ことだろうか。からかいを繰り返すあなたは、まったく「あたりまえ」ではないことをわからせ、そういう姿をさらすことが、この職場でいかに恥ずかしいことなのか。女性を蔑視する姿の醜さを、職場の日常という場で、思いしらせることだろうか。

そのためには、具体的に職場の日常での人々のやりとりを見抜き、秩序のありようを読み解いていく営みが必要だろう。

男性のからかいが、女性への差別や排除として、その場にいる他の男性や女性に受け取られず、〝単なる冗談〟として、いかに聞き流されてしまうのか。

からかいという権力行使における、その微細な行使の「方法」を明らかにし、一つ一つ点検し、潰していく必要があるだろう。

また、それこそからかい返すことで、男性の姿を〝戯画化〟し、職場の日常をじっくりと変革する営みへ向かう必要があるのではないだろうか。

「あたりまえ」を疑う営み――。それは疑うだけで終わることはない。疑いは、むしろ始まりである。なんらかの疑いや違和感を覚えた瞬間、現実から離れることなく、その現実の様相をさらに詳細に見抜いていこうとする営みである。

「人々の社会学」は、なにもそれを専門に研究する人だけが調べるものではない。私たちが普段「あたりまえ」に生きているなかで使っているものだ。だからこそ「あたりまえ」を疑う営みは、「人々の社会学」に孕まれている問題を個別に読み解き、それらに変革し、新たな「人々の社会学」を創造しようとする営みにつながっていくのである。

第七章　「普通であること」に居直らない

「普通であること」の〝空洞〟

さて、世の中を質的に調べるセンスを考えるうえで、いま一つの重要な点を最後に述べておきたい。

それは「普通であること」がいかに微細に、しかも執拗なかたちでしっかりと日常を覆い、私たちをとらえているのかを読み解くことである。そして、私たちが「普通であること」に居直らず、いかにその呪縛から自由になれるのかを考えていくことである。

新聞で犯罪が起こったことを知らせる記事を見る。テレビで、すぐには理解できないような、その意味で不条理な犯罪が起きたことを知らせるニュースを見る。私たちは、その瞬間、どう感じ、どう語るだろうか。

これは「普通」では考えられないできごとだ。「普通の人」だったら、こんなひどいことはしないだろう。やはり、どこか「普通でない」のではないだろうか。

瞬間、このようなことを考え、自分が生きている世界を含めて、「普通」という枠で囲い込み、そこから事件や犯罪、そうしたできごとに関わる人間を〝外していく〟のではないだろうか。

このような営みは、報道を受け取る私たちだけが行っているのではない。

たとえば、「普通でない」事件、「普通」の想像力を簡単に超えていくような忌まわしい事件が起こる。事件が起こった瞬間、動機や背景などがまだまったく判明していないとき、事件が起こったことを知らせる報道は、事件のどこかに「普通でない」ことがあれば、なんとかして結びつけようとする。

差別の日常。あるいは私たちが普段知らず知らずのうちに行ったり、それを認めてしまっている〝歪められたカテゴリー化〟。そうした話題を切り出すとき、私は、自分自身のある体験を語る。

以前、大阪教育大学附属池田小学校に男が侵入し、刃物を振り回し、子どもたちを殺傷するという事件があった。その日、私は偶然、用事があり大阪の実家に戻っていた。夕方六時のニュース。NHK、民放各社がこの事件を一斉に報道していた。とんでもない事件が起こったと、私は、チャンネルを次々に変え、各放送局がどのように事件を報道しているのかを見た。

強烈な事件の体験が、子どもたちの心や身体にどのような影響を及ぼすのか、そんなことも考える余裕のない段階だ。レポーターが、事件に遭遇した子どもたちへの配慮など何もなく、まっすぐマイクを向けている。

「どんなふうにして男の人は入ってきたの?」というレポーターの問いかけに、ある子は「黙って入ってきた」と答え、別のニュースでは「なんかわめきながら入ってきた」と答える子もいた。映像で見る限り、子どもの答えは、バラバラである印象を受けた。

ただ一点、各局のニュース映像を見ていて、共通したことがあった。それは私の心にくっきりと残ったのである。何だろうか。各ニュースがある子どものコメントを共通して流していたのである。

講義では、このあたりで学生たちに問いかけていく。「いったいどんなコメントやったと思う? 犯人の男の姿かたちに関わるもんや」と。「まだ当時は事件発生直後で、動機や背景なんかまったくわかっていない段階や。なんで男がそんなことをしたのか、まったくわかってないんや」と、さらに状況を確認し、答えやすいよう誘い水をかけていく。

しかし、この問いかけ自体、いったいどう答えていいのかわからず、答えにくいものだ。彼らはたいてい、この先生はいったい何を言いたいのだろうか、という顔をして、私に指されることだけを警戒しているようだ。

「みんなの中にも、このコメントにあてはまる人もおるで。ほら、そこのあんたもそうやし。そこのあんたもや」とコメントに該当する学生がいることを話しながら、「男の姿に関するもんや」と再び付け加える。このあたりで、何人かの学生が、私に指された学生の姿かたちを見て、はぁ、なるほど、という表情を浮かべ始める。


「金髪やった」


「金髪やった」——。ニュースで共通に流された子どものコメントだ。当時の男が写った写真を見ると、金髪というか、髪の毛を脱色、あるいは褐色に染めていることは確かだった。それを子どもは「金髪」と言ったわけだ。

なぜ、「金髪」コメントが、事件発生直後のニュースで、各局共通に流されたのだろうか。さらに学生たちに問いかけて、話を進めていく。

「みんな『金髪やった』というコメントを聞いて、どう感じた。どう思った。みんなの中にはけっこう髪の毛を染めたり、脱色している人はいる。だからといって、みんな、こんなひどい殺人事件を起こすだろうか。もちろん、そんなことはない。

では、なんでこんなコメントをそのとき、流したのだろうか。

もう一回言うぞ。事件が起こったその日の夕方のニュースだ。男は捕まったが、もちろん犯人の動機や背景など一切わかっていない。ただ突然、男が小学校の教室に侵入し、何の罪もない子どもたちの命が奪われたという不条理な事件が起こったという報道だけだ」

「なんで、こんなコメントがニュースの中に置かれるのだろうか。みんなは、このコメントを聞いて、どう感じただろうか。ある人は〝んー、やっぱり〟と感じたのではないだろうか。あるいはある人は〝なんとなく、気持ち悪いなぁ〟という違和感を覚えたのではないだろうか」

「私は、こう考える。ニュースを報道する側が、子どものコメントを聞いた瞬間、これは使えると思ったのではないかと。これだけ不条理な、わけのわからない残虐な殺人事件が起こる。事実だけを報道するにしても、なんとかして、どこかで〝事件のわけ〟をにおわせておきたいのではないだろうか。

『金髪だった』というコメントは、男が『普通ではない』ことを示すかすかな痕跡であったのではないだろうか。『普通の人間』であれば、こんなひどいことをするはずがない、と。だから男は『普通ではなく』、それをどこかで語っておきたいと考え、このコメントを使ったのだろう。もちろん、事件の原因や動機とこのコメントの因果性はまったくない。しかし、そのとき、なんとかして『普通でないこと』を伝えようとしたのだろう」

「繰り返すが、もちろん髪を染めたり、脱色した人がどうのこうのと言っているのではない。問題はニュースを流す側が、ほぼ直感的にコメントを使った感覚であり、おそらくは、このコメントを聞いて、とりあえずは〝はぁ、やっぱりなぁ〟などと納得してしまう人々がいると想定していることだ」

こんな感じで講義を進めていく。

「普通であること」。これは、私たちが理解不能なできごとと出会ったり、はっきりと何かに違和感を覚えたりするとき、それを自らの日常生活世界から〝くくり出す〟ために用いる装置だ。

さらに、このような明快なできごとに対してだけでなく、なんとなく言いあらわしがたいが、どこか違う、など、私たちの日常を脅かす〝あいまいな〟リスクに対しても、「普通であること」という装置は見事に発動されるのである。

ただ、問題なのは、その「普通」は中身が満ちているものではなく、いわば〝空洞〟であるという点だ。

たとえば先の例で、「金髪あるいは髪の毛をなんらかの形で染めたりしている人は、尋常でない事件を起こす」ということを、仮に誰かが納得したとしても、それを論証する材料は「普通」の中にはない。ただ「あの男は普通ではない」という大きな声が「普通であること」の〝空洞〟に響きわたるだけなのである。

「普通であること」の権力

さて、私たちが普段、何気なく使ってしまう「普通であること」は、単に中身のない〝空洞〟にすぎないのだろうか。そうではない。それは、私たちに対して微細ではあるがはっきりとした権力を行使していくのである。

たとえば、私は差別や排除という現象をこれまで、調べてきている。部落問題や在日朝鮮人問題など、社会問題の一つとして、「〇〇問題」という形で整理された世界に沿って差別や排除を探求することも大切だ。

しかし、そのような社会問題としての差別を理解するのと同じくらい重要な、差別や排除と向き合う仕方がある。

それは、私たちが日常暮らしていくなかで、知らず知らずにはまってしまっている日常的な差別や排除という現象を読み解くというテーマであり、そういった差別や排除を相対化しつつ、より充実した毎日を暮らす方法を模索するという仕方である。

通常、差別という言葉を聞いたり、自分の暮らしの中に差別がある、さらに、あなたはこういう差別をした、と言われたりした瞬間、私たちの身体や精神は硬直してしまうのではないだろうか。

そして、自分の中に、そのように指摘される原因があったのかと〝後ろ向きの反省〟をしたり、そんなことを言われる筋合いはないと〝過剰な防衛〟の姿勢をとろうとしたりするだろう。

いずれにしても、差別や排除という言葉は、言われた瞬間、即座に否定すべきもの、自分の日常生活にはあってはならないことと、考えてしまうのではないだろうか。あるいは指摘された以上、とりあえず反省し、謝罪のポーズを示すべきものと反応するように、私たちは慣らされてしまっているのではないだろうか。

このとき、私たちの営みから消えてしまっているのは、自分が生きている「いま、ここ」で指摘された差別や排除とはどのようなことなのかを、ゆっくり、かつじっくりと考えるということであり、さらによりよく暮らしていくための「生きる手がかり」として差別や排除を〝活用〟しようとする姿勢なのである。

私たちはなぜ、自分の生活世界のなかで、差別や排除という現象に〝適切な〟場所を与えようとしないのだろうか。差別を、あるはずのないものとして、生活世界から〝排除〟し、即座に否定、反省すべき現象として、捉えてしまうのだろうか。

それは、私たちが、「普通であること」に囚われてしまっている結果であり、「普通であること」の権力行使の結果なのである。

ここまで書いて、かつてテレビを見ていて驚いたことを思い出す。

「普通の人間」は差別なんかしない

深夜のニュース番組で、部落解放運動を進めている当事者と、ある評論家との対談があった。議論の冒頭、評論家がさりげなく、こう切り出した。

「私はとくに厳しい差別を受けた経験もないし、ひどい差別などしたことはありません。その意味で普通の人間なのですが、そうした立場から、いろいろとお尋ねしたいと――」

相手は、評論家の発言をそのまま承認し、対談が始まった。

私はこの冒頭のやりとりに驚いたのである。このように〝当然のように〟語る評論家の差別への認識に驚くとともに、それをそのまま承認し、議論を始めてしまう活動家の認識にも驚いたのだ。

評論家は自分のことを「普通の人間」だという。「普通の人間」は「とくに厳しい差別を受けた経験」がなく「ひどい差別などしたこと」がないものだと。

この語りはさっと聞き流せば、なるほどそのとおりで何が問題なのかと思うかもしれない。しかし「普通の人間」がこれこれだという中身をひっくりかえしてみると、この発言の権力性がわかってくるだろう。

「厳しい差別を受ける人間」は「普通でない人間」であり、「ひどい差別をする人間」は「普通でない人間」なのだと。つまり「差別を受けたり、差別をしたりする人間」は「普通でない世界」を生きている人々であり、差別なんかするはずのない「普通の人間」が生きている世界とは、別の世界なのだと。この語りは、暗にこういう見方を主張しているのである。

そして、評論家が「普通の人間の立場から、いろいろお尋ねしたい」と言うとき、それは、最初から自分は「差別を受けたり、それに対抗したりしているあなたが住んでいる世界」とはまったく異なる安定した場所、つまり〝差別などない高み〟にいることを宣言し、さらに言えば〝できれば私がいる高みを脅かさないように〟と要請しながら、あなたが生きている「差別のある世界」のことをあれこれ尋ねてみたいと言っているのだ。

よく社会啓発の標語では「（差別）するを許さず、されるを責めず、傍観者なし」と言うが、評論家の冒頭の語りは、まさに「傍観者」だということの主張であり、差別をめぐる議論から自らを守る〝防御〟の営みなのである。

こうした〝防御〟の力は、差別や排除というできごとから、自分を限りなく遠ざける。さらに言えば、自らの日常生活で起こるであろう、さまざまな微細な差別や排除にまなざしを向けようとする私たちの潜在的な何かを抑圧し、機能停止にいたらせるのである。

「普通の人間」とは、いったい誰のことを指しているのだろうか。

先に結論を言えば、「普通の人間」など、どこにもいない。一人一人が異なった人生を送っている毎日があるだけで、そこには他者との親密な関係もあるし、葛藤もある。軋轢《あつれき》もあるだろうし、なんとも言いがたい「生きづらさ」もあるだろう。差別問題から距離をとろうと躍起になったとしても、その人の日常には、さまざまな差別や排除が生起してしまうのである。

そして「普通であること」の権力は、こうした日常の私たちの暮らしのなかで起こる、さまざまな「生きる手がかり」「生き方を見直すきっかけ」を隠蔽《いんぺい》してしまうのだ。

自分が、とても「普通に生きている」と実感するとき、実は、こうした「手がかり」「きっかけ」の兆しを見失い、「いま、ここ」で自分を見直すこともなく、「普通」に生かされてしまっているだけではないだろうか。

フォビアは感情に由来するものなのか

そして、「普通」に生かされてしまっている私たちの姿は、エスノメソドロジー的なセンスで「人々の社会学」を調べたいと考えるとき、格好のターゲットになる。

たとえば、以前、私は障害者フォビアについて論じたことがある（好井、二〇〇二）。フォビア。すなわち、障害者を嫌ったり、嫌がったりすること。依然としてこうしたフォビアが世の中にある。

これは私たちの感情に由来するものだろうか。理屈では説明できない生理的な何かに源があるものなのだろうか。

障害者を排除すべきではない、障害者が暮らしやすい街づくり、バリアフリーやノーマライゼーション賛成と一般論で言う人々が、自分の町内に障害者の作業所建設の話が起こると、一転して反対に回ることがある。

なぜ反対なのか。

施設の必要性、大切さは理屈ではわかる、でも嫌なものは、嫌なんだ。これは理屈ではない、感情であり、生理的なものなんだと、自らのフォビアを正当化していく。

確かに嫌悪とは情緒的な働きかもしれない。しかし、自分の生活世界へ障害者の存在が入ってくることへのフォビアは、果たしてどこまで理屈で説明できない感情の領域にあるものなのだろうか。

電車の隣の席に、障害のある人が座ったとする。フォビアを普段から抱いていると考えている人は、本当に理屈ぬきで〝身震いするほど嫌悪する〟のだろうか。鳥肌が立つほど〝嫌なのだろうか〟。

そんな無条件で嫌がる人は、実際にどれくらいいるのだろうか。私は疑問に思う。嫌がるとしても、そこには何らかの理屈があるだろう。あるいは、喜んだり、関心を示したり、無関心を装ったりするというような営みの選択肢がなく、ただ嫌がるという反応しかできない結果、嫌がらざるを得ないのかもしれない。

いずれにしても、フォビアを感情の世界に閉じ込めるのではなく、私たちが日常、障害者とともにいるうえで用いている「方法」――障害者と日常どのような関係をつくっているのかをめぐる「人々の社会学」――の問題として考えてみたいのである。

なぜ、そう考えるのだろうか。それは私自身〝お風呂でドッキリ〟したことがあるからだ。

広島にいた頃、よく五〇〇円を握って、近くの温泉に行っていた。温泉につかり、湯にとろけながら〝無〟になることが私にとって最高のリフレッシュだったからだ。

いつものように湯ぶねにつかり、とろけようと目を閉じる。両手、両足をひろげ緊張感をといて、ふと目をあけたところ、湯ぶねのふちのところに五、六歳くらいの少年が立っていた。〝あぁ、かわいい子やなぁ〟とまた目を閉じようとした瞬間、私の視線はその子に釘づけになった。彼の両腕は極端に短く、彼はその小さい手で顔をかきながら、そこに立っていたのだ。

私は湯にとろけようと、完全に無防備な状態でいたのだろう。瞬間、彼が裸の私の心の中にすっと入り込んできた、そんな感じがした。何か不意をつかれたようで、ドキッとした。私は彼を見つめ、すぐにまた目を閉じた。

その日は小学校の運動会があった日で、夕刻、親子連れが多く、いつもより混んでいた。みんなはどんなふうにその子を見ているのだろう、どんなふうにまわりはふるまっているのだろう。私は、自分が一瞬ドキッとした感触を確かめながら〝無〟になることはなく、周囲を観察していた。

何ということもなく、ごく自然なふうにみんな湯につかったり、サウナに入ろうとしたり、水風呂でほてった身体を冷やしたりしている。でも、何か〝つくられた〟自然さであり、裏をかえせばとても〝不自然な〟様子が、そこにあった。特に少年を凝視したり、あれこれ言う人はいない。さりげなく気にならない感じで人は彼のそばを通り過ぎていく。

でも、少年のまわりには何ともいえない〝戸惑い〟がただよっている、そんな雰囲気だ。ただ少年のみがごく自然に風呂に入り、彼は若いおとうさんと一緒に来ていたのだが、おとうさんもごく自然なふうに風呂を楽しんでいた。

「無視する」という「方法」

いったい、この〝戸惑い〟は何だろうか。私の中に生じたドッキリという感覚は何だろうか。

それは、障害者を露骨に排除したり遠ざけたりする、というものでもない。障害者を嫌がったり、嫌ったりする情緒でもない。素っ裸の自分が、障害者を目の前にして、どのようにふるまっていいか、ドギマギしている状態といえばいいだろうか。ドギマギしている自分の姿や心に気づき、さらに戸惑っている感覚だろうか。少年と自分との距離をどのように〝適切に〟とればいいのか、即座にはわからない、そんな戸惑いだろうか。

チラッと見て、あぁ腕に障害がある子なんやなぁ、と見てとった後は、まるっきり他の人に対してと同様に無視すればいいのかもしれない。でも「無視する」とは、ただ相手を見なかったり、相手に関心を向けない、ということではない。

「無視する」とは、いま私が相手を〝適切に〟無視していることを、さまざまな「方法」を用いながら具体的に示すことなのだ。

こうしたふるまいはとても微細で、普段、そんなことをしているなんて、気づくことはまずない。でも私たちは、微細なふるまいをさまざまな場面で他者とともに〝適切に〟実践することで、日常的な自然さをつくりつつあるのだ。

他者と出会い、他者とともに日常的な自然さをつくりあげる知識。これは、「人々の社会学」の重要な部分を構成する。

とすれば、少年を見た瞬間に生じた私の感覚は、少年という他者とともに銭湯という空間を共有するうえでの実践的な処方が、私の中に欠落していたこと、あるいはその適切な在庫がなかったことに、私自身気がついたドッキリではなかっただろうか。

私は、このように〝お風呂でドッキリ〟した自分の姿に驚いたのだ。それなりに障害者問題を勉強、研究し、実践していたつもりだったが、それでもなお「普通」に呪縛されている自分の姿を突きつけられて驚いたのである。

銭湯の日常を、障害者とともに過ごす「方法」「人々の社会学」を持ち合わせていなかった私の姿。障害者と出会えない自分の姿それ自体をじっくりと反芻しないで、「普通はこんなことないよなぁ」などと、その場で納得してしまうとすれば、それは「普通」に絡めとられてしまったことになる。

私は、障害者フォビアに直接因果関係がある感情などない、と考えている。フォビアの直前に存在するもの。それは、日常のさまざまな場面で、他者として障害者と出会える実践的な処方を、体系的にもちあわせていない私たちの姿であり、障害者とともに〝適切な〟関係をつくりあげるうえで、生きた想像力を十分に発揮できていない姿なのだ。

先にあげた、電車で障害者と乗り合わせるケース。彼らと向き合いながらも、人としてつながる仕方をしらないとき、私たちと相手との〝すきま〟は果てなく広がり深まっていく。そうしたとき、自分から〝すきま〟を埋めようと、相手に向かって一歩踏み出さないかぎり、〝すきま〟からもれ出てくる闇に、私たちは戸惑い、不安になるだろう。

フォビアとは、戸惑いを回避したい、自らの不安を相手に気取《けど》られたくないという思い込みがつくりだし、とりあえず〝すきま〟に蓋《ふた》をしようとあがく、〝虚構の感情〟といえるだろう。

なぜ、障害者を嫌うのか。他者として障害者と出会える可能性がある場面で、なぜ私たちはフォビアに囚われてしまうのか。フォビアがうみだされる直前の相互的なありようを、エスノメソドロジー的センスで読み解く必要がある。

これは、フォビアを〝嫌悪する感情〟として納得するのが「普通だ」とする人々の実践(「普通」に呪縛された姿)を、解明する作業なのである。

「普通」を常に疑う

石井政之『肉体不平等』(平凡社新書、二〇〇三)という本がある。その後、石井さんが中村うさぎという、美容整形し、自分の身体を加工し続けている作家と対談した『自分の顔が許せない！』（平凡社新書、二〇〇四）が続くが、私には最初の本が圧倒的に興味深い。

石井さんは、顔に赤い大きなアザがある。明らかにそれは「普通」の人の目には、異様に映るだろう。そのアザとどう向き合い、生きてきたのかを、彼は『顔面漂流記』（かもがわ出版、一九九九）で語っている。彼は、ジャーナリストとして多様な経験をするなかで、アザを隠すことなく、いま、ユニークフェイスという活動を進めている。

顔面にさまざまな病変や疾患がある人々。彼らはそのユニークさゆえに、周りからジロジロと見つめられ、さまざまに〝きつい〟体験をしている（石井政之・藤井輝明・松本学編著『見つめられる顔――ユニークフェイスの体験』高文研、二〇〇一）。

ただ、顔の一部が「普通」とは異なるだけで、その〈ひととなり〉まで尋常でないものとして、敵意や嫌悪、同情や興味が過剰に向けられる。向けられる本人はたまったものではないが、なぜ周囲の人々は、彼らの容貌を見て、過剰に反応してしまうのだろうか。

別に石井さんたちが、周囲の人々が生きている現実を侵略するわけではない。ただ反応する側が、普段見慣れていない人を見て、勝手に感情を乱したり、自分の日常生活が脅かされるのではと、恐怖を抱いているのだ。

彼らの本を読み、二つのことを考える。

一つは、彼らが自らのユニークさをどのように自分の存在の一部として承認し、そのうえで「普通の世界」へ乗り込んでいくのかという問題と可能性だ。

そして、いま一つは、彼らの容貌に対して、まさに勝手に敵意を抱いたり、嫌悪したり、過剰に同情したりする反応であり、「普通であること」に呪縛され、駆り立てられ、彼らを自分たちの日常から〝外していこう〟とする「普通」という権力行使のありようである。

この「普通であること」に呪縛され、「普通」になろうと、駆り立てられる姿は、何もユニークフェイスの人々にだけ向けられるのではない。私たちは、身体のコンプレックスに悩み、自らの身体に敵意を抱き、嫌悪し、同情し、「普通」から外れていこうとする自分の姿に恐怖するのだ。

毎日のように肥満への不安を煽り立てられる私たち。ダイエット食品、美容法、体操など、毎日のように入る新聞チラシでは、使用前→使用後の身体の写真を比較するパターンが延々と繰り返される。

確かに太り過ぎは健康によくないだろう。私もしっかりとたわんだ自分の腹を握り締めながら、んー、なんとかしたいものだと思う。太り過ぎを放置していることは、自分の健康を管理できないという烙印《らくいん》を押されることになりかねない。

その意味では、太り過ぎを警戒することは、周囲から自分の〈ひととなり〉への評価を気にすることにつながると言えよう。

しかし、石井さんが読み解いている現実は、この警戒とは明らかに異質なものだ。「普通」の身体、「普通」の容貌。より微細に言えば「普通」より、ほんの少し上位の「美しさ」を手に入れたいとする願望。こうした願望には際限がない。どこまで手に入れたから、実現したから終了ということにはならない。なぜなら「普通」はもともと先が見えない〝空洞〟であり、「普通」を測る、不変の基準などないからだ。

願望に囚われた人が、勝手に〝空洞〟のなかで「自分の身体や容貌はこれでいいか？」と叫んでいる。しかし「普通」の〝空洞〟では、問いかける声が反響するだけで、答えが返ってくることはない。だからこそ、人は不安になり、さらに叫び続けるのである。

ただ、決して壊れない明らかな事実がある。それは「普通」という〝空洞〟に囚われ、叫んでいる限り、そこから逃れ出ることはできない、ということである。

石井さんは、「普通」に呪縛され、「普通」へと駆り立てられ、「普通」から逃れられない人々の姿を頭から批判することなく、温かく、しかし醒めたまなざしで見つめ、「身体コンプレックスとつきあう方法」まで、私たちに教えてくれるのである。

「普通」を相対化する

でも、なぜ人はそこまで美しくなりたいと思い、それが実現できない身体にコンプレックスを抱くのだろうか。

確かに、美醜の基準は何らかのかたちであるだろう。しかしそれは絶対視されるものではないはずだ。さらに、そうした基準に囚われている人でも、理想をすべて実現できるなどとは考えず、適当にできるところで折り合いをつけながら、コンプレックスとつきあっているだろう。

とすれば、発想を逆転したらどうだろうか。自分の身体に問題があるのではなく、「普通でありたい」「普通になりたい」「普通より少し優越していたい」という発想が問題なのだと。誰一人としてコンプレックスから逃れることができず、それを克服することができないとすれば、もともと「普通」に呪縛されていること自体、おかしなことだと。誰もが自分の望む「普通」になれないのだとしたら、もともと「普通」などなく、みんな、何らかの意味で「普通でない」のだと。

身体コンプレックスをめぐる「人々の社会学」を読み解く意味があるとすれば、それは、

「普通」の〝空洞〟に閉じ込められた人々の営みを詳細に示し、それがいかに、「普通でない」一人一人の生き方に、無理を強いているのかを明らかにすることだ。

ところで、いまの世の中では、「普通」を常に疑い、相対化する人々の営みが、多く見られる。そしてそれらは、例外なく、「普通」でありたいと望む人々や、自らの「普通の世界」を侵害されることに恐怖する人々から、攻撃や批判を受けているのである。

ジェンダーフリーを批判し、選択的な夫婦別姓実現を阻止し、伝統的な男女のありようこそが「普通だ」とする動きや主張。

ひきこもる若者たちを「社会的ひきこもり」としてカテゴリー化し、彼らの生きている現実を、「普通の人間」のそれとは異なると線を引こうとする営み。

同性愛者たちが生きている現実を認めようとはせず、〝外れた人々〟として理解し、異性愛こそが「普通だ」とする営みや主張、等々。

そして、社会学にとっては、「普通」を常に疑い相対化しようとする人々の営みも、そうした営みを批判し攻撃し無効にしようとする人々の営みも、どちらも探求すべき興味深い現象なのである。

いま、若い社会学研究者たちは、こうした現実にはいりこみ、そこで生きている「人々の社会学」を精力的に明らかにしている。彼らの仕事は、まさに「普通」という〝空洞〟への囚われ、「普通」への信奉が、いかに「普通でないのか」を例証する営みであり、「普通」から私たちが解放される方途を模索する、興味深い作業なのである。

調べる本人がいかに「普通」に因われているか

さて、ここまで読まれてきた人なら、もう十分すぎるほど実感できていると思うが、私は、「普通であること」への囚われを、単に興味深い研究対象として、社会学者はもっと詳しく調べよ、と言っているのではない。もちろん、そうした現象や人々の営みにもっとはいりこむ必要があることは確かだ。

ただ、同じくらい重要だと考え、伝えたいことがある。それはあたりまえの話だが、世の中を質的に調べようとする社会学者もまた、世の中で生きている人間の一人だということだ。地球外の生命体でもないし、自分の姿を透明にする術を持ち合わせているわけでもない。いくら社会調査の技法や現実を説明する精緻な理論で〝武装〟したとしても、調べる現実や営みから完璧に超越することなどできないのだ。

世の中のできごとを質的に調べようとするとき、調べる本人がいかに「普通であること」

に囚われているのかも、同じくらい重要な、調べるターゲットであるということだ。

調査する営みのなかに、「普通」がいかにして侵入し、影響を与えているのか。逆に、調査する人が、調べている現実からどのように影響を受け、「普通」の呪縛にどのような亀裂が入り、「普通」とその人との関係が変動し始めているのか。

もし調査者が、そのことを一切気にせずに差別問題を調査するとすれば、私はその結果に対して、「で、あなたはどうなっているの」と、思わず問いかけたくなるのである。

カテゴリー化の罠

たとえば、調査拒否というできごとがある。生活史聞き取りが何回か重ねられ、テープ起こしをして、整理し、さぁ報告書にまとめよう、論文を書こうとした瞬間、話をうかがった人から「使わないでほしい」と連絡がはいる。なぜなのか、理由をうかがい、なんとかして使わせてほしいと話す。しかし相手が納得しないかぎり、その聞き取りは使えない。とても残念に思う。

そして、そう思う瞬間、同時に「いったい私は調査をするという営みで〝何〟をしているのだろうか」「できるだけ誠実に対応したはずなのに、なぜ相手は今になって拒否するのだろうか」という問いが頭をかけめぐる。

三浦耕吉郎さんは、こうした調査拒否というできごとから、社会調査がもつ「カテゴリー化の罠」について深い考察をしている（三浦、二〇〇四）。

調査者が、調べる現実や人々にあてはめようとして、持ち込むカテゴリーがある。たとえば、被差別部落、同性愛者というカテゴリー。それは、あくまで調べる現実や聞き取られた語りの内容を研究者が整理し説明するために持ち込む「道具」だが、実は当事者たちが固有に生きている歴史や現実でもあり、さらには調べる私が生きてきた歴史のなかで〝生きられた〟カテゴリーでもあるのだ。

そして〝生きられた〟カテゴリーの背後には、具体的な人々の経験や声が詰まっている。それはカテゴリーを肯定するものであったり、自分や身内が今のまま幸せにいきていくうえで、どうしても否定し、隠しておきたいものであったりする。

調査において、相手から〝生きられた〟カテゴリーをめぐる、こうした多様な経験を引き出せたとき、調査する者は〝いい聞き取りができた〟という実感をもち、「道具」としてのカテゴリーを用い、経験を整理し読み解き、たとえば被差別部落の生活や文化の意味を論じようとするだろう。

ただ問題なのは、〝生きられた〟カテゴリーをめぐる人々の経験や思いを十分に汲み取ったうえで論じることができる「道具」を、社会学者は持ち合わせていないということだ。

「被差別部落の生活や文化をより深く解明し、その意味を伝え、部落問題を考えていくうえで重要な調査であることはわかります。だから、普段は話さないことも話しました。でも、村を出て、暮らしている子どもや身内のことを考えれば、私が語ったことは、どうか使わないでください」

たとえば、聞き取った相手から、こう言われるとき、私たちは「道具」としてのカテゴリーと、〝生きられた〟カテゴリーの落差を感じざるを得ないのである。調査の倫理から考えれば、当然、聞き取りは使うべきではない。

さらに三浦さんは、倫理という次元だけではなく、調べる者がもつ「道具」がなかば必然的に行使してしまう、〝生きられた〟カテゴリーへの権力行使を論じている。

そして、彼は、社会調査という営み自体がもってしまうイデオロギー性、調査するという営み自体が拠って立つ場所の歪みを指摘するのだ。

部落問題の調査をするために、被差別部落へ聞き取りに入る。こう言った瞬間、聞き取りという調査は、「部落問題」についてのさまざまな前提的な知や思考から完全に自由になることはできない。

調べれば調べるほどに、〝生きられた〟カテゴリーをめぐる人々の経験がもつ〝闇〟が広がっていき、他方、「道具」としてのカテゴリーを安易に用いていた自分のこれまでの経験が思い知らされ、いったいどのような「道具」をもって調べればいいのか、という、簡単には答えを見出せない〝闇〟へ引きずり込まれていくのである。

三浦さんは、こうした社会調査の〝闇〟に対して、社会学者がどのように対処すべきか、その方法や手がかりを明確には語ってくれてはいない。

私が勝手に読み込めば、こんなふうになるだろうか。

そんな便利な方法なんかない。ただ〝闇〟を広げてしまう営みだということぐらい、きちんと認識したうえで調査をすべきであり、個別のできごとや問題のなかで、調査する者の対応やセンスが問われていくのだと。

調査を拒否される瞬間というのは、やはり明快だろう。しかしそれだけではない。相手からの何気ない一言が、自らが調べようとする発想を根底から覆し、相手がこのように生きているはずだという勝手な思い込みの間違いを指摘するのだ。

変わる「快感」

調べる現実にあてはめてしまう「道具」としてのカテゴリー。それをなかば当然のごとくに用いることは、はたしてそこで暮らしている人々の現実、彼らが語る〝生きられた〟カテゴリーと〈対話〉するうえで、適切なのだろうか。

さらに言えば、調査することの意味が、どれくらい自分自身の〝腑に落ちている〟のか。調査することの権力性や自分自身の居場所を、調査する過程で常に反省的にとらえ直しているだろうか。調査結果を明らかにすることが、対象者に対してもつ意味をどれくらい想像できているのだろうか、等々。

こうした、調査をめぐるさまざまな問いが、実は調査する「いま、ここ」で私に向かってくるのである。

そのとき、決して硬直してはならない。そうではなく、できるだけ柔軟に、調査することを見直し、調査する私を見直す。もし「普通であること」に私が少しでも居直っているとすれば、それを反省し、「普通であること」を疑い、どこが問題であり、どう変革すれば、相手の〝生きられた〟世界と繋がることができるのかを模索していく。

常に自分の中に「風穴」をあけておき、いわば常に自分を「危うさ」に直面させておく。

このことが、実は世の中を質的に調べるセンスの核心にあるのかもしれない。

高橋留美子のマンガ『犬夜叉』に登場する謎の法師・弥勒がもつ「風穴」は、なんでも飲み込んでしまうブラックホールのようなものだ。しかし、私たちがあけておきたい「風穴」はそんなものではない。

外から吹いてくる風には、心地よいものもあれば、身体が凍りつくほど厳しく冷たいものもあるだろう。そうした風をとりこみ、自分の中に貼られたさまざまな「普通」の札がどのように反応するのかを見る。強風に微動だにしない「普通」もあるだろう。わずかな風ですぐにはがれ、飛んでいってしまう「普通」もあるだろう。

微動だにしない「普通」の背後には何があるのだろうか。はがれ飛んでいった「普通」の後には何が新たに生まれ出てくるのだろうか。「普通」の札がはがれてしまった自分の身体は、どのようになってしまうのだろうか。そこには、自分が変わる「危うさ」とともに、変わる「快感」があるはずだ。

「普通であること」を相対化し、自らにとっての「普通」をつくりかえる可能性を満たした風を呼び込む。そのような「風穴」なのである。

あとがき

「最近、よく新聞などで報道されている少年の犯罪について関心があります」

「学校に行っていたとき、自分も不登校になりかけたことがあります。だから不登校やひきこもりの人に会って、話を聞いてみたい」

「ケータイなど若者のメディアとコミュニケーションについて調べたいです」

最近、学部学生からよく聞く言葉だ。

少年犯罪、不登校、ひきこもりなどの問題については、若い気鋭の社会学研究者がフィールドワークを行い、優れた作品を書いているので、それらを読んでほしいと思う。

本書では特にこうした問題について言及しなかった。ただ、言及しなかったからといって、私がこうした問題に無関心であり、本書の主張とまったく関係がないなどと考えているのでは決してない。むしろ逆で、密接に関係していると思う。

最近の学生の問題関心をめぐる語りを聞いていると、〝自分ごと〟〝当事者性〟というものを感じる。

端的に言えば、不登校やひきこもりという社会問題に傍観者的な立場から関心があるというより、自分自身がそうした問題を生きている磁場に囚われていたり、あるいはかつて囚われた経験があり、まさに〝自分の問題〟として悩み、考えてみたいと思っているのではないか、ということだ。

こうした〝自分ごと〟〝当事者性〟という視角から、現代の社会問題を考え、現実に接近して調べようとするとき、科学的客観性を装いながら一般的で抽象的な概念や理論を駆使して現実を説明したり、現実から一定の距離をとったり、一段高いところから現実を眺めおろしたりする発想は、調べる本人にとって受け入れがたいものではないだろうか。

だとすれば、調べる「わたし」のありようまでも捉えなおしていこうとする「世の中を質的に調べる」うえで必要なセンスや、「人々の社会学」というものの見方は、そのまま彼らが〝自分の問題〟を社会学として位置づけ、考え、実際にフィールドワークしていくうえで、必要なものではないだろうか。

そのためにも、できれば、本書は〝自分の問題〟という関心から、じっくりと読み、私が言わんとするところを味わってほしいと思う。

さて、本書をどのような人に読んでほしいのか。少し話しておきたい。

まずは、大学や大学院で社会学を学ぶ学生にぜひとも読んでほしい。社会調査論、社会調査実習などで、テキストを学ぶのは必要なことだ。しかし、それとともに、この新書を読んでほしい。

副読本とまではいわないでおこう。社会学的なフィールドワークをめぐる〝読み物〟として、気軽に読んでほしい。実際にさまざまな場所で生きている、さまざまな問題と向き合って生きている人々と出会い、生活史を聞き取ったりする営みが、いかにスリリングであるのか。他者の生活や現実を調べることが、いかに調べる「わたし」に影響を与え、相互のやりとりのなかで調査という営みが成立しているのか。そんなことを感じ取ってほしい。

次に、社会学を研究し、社会学を教え、社会調査を指導する教員に読んでほしいと思う。この新書で語った内容は、すでに何度も繰り返しているとおり、私の勝手な関心から選んだモノグラフの読み解きであったり、私自身のフィールドワークの体験語りである。教員の皆さんがそれを面白いと感じるのか、関心が限られすぎており、一般的でないと批判されるのか、それは、まさに読む側の勝手だろう。

ただ、お願いしたいことがある。もし本書を面白いと思われるならば、ぜひとも教員一人一人が自分自身のフィールドワークの経験にもとづき、「これは」と考えるセンスを学生に伝える独創的な講義をしてほしいと思う。

一般的な調査技法を要領よくまとめたテキストを用い、ただそれを伝えるだけの社会調査論の講義。テキストに添付されたCD‐ROMの映像だけを用いた、質的なフィールドワークを教える講義。こんな講義だけは、なんとか回避してほしいと思う。

次に、高校生、そして高校の先生に読んでほしいと思う。なぜだろうか。

以前、広島国際学院大学現代社会学部に勤めていたころ、私は毎年、一人でも多くの受験生を求めて、中・四国の高校の進路指導室を訪ねていった。丁寧な対応をされる主任の先生もいれば、うちにはあんたの大学を受けるような生徒はいません、とばかりに尊大な態度で対応される先生もいた。内心〝このやろぉ〟と思いながらも、にこやかに社会学という学問の面白さ、学部のすばらしさを説明したものだ。

社会学などの学問内容に少しでも関心がある先生は、その中身について質問される。しかし多くの場合、卒業後の進路と、「他の学問であれば、いろんな資格がありますよね。社会学では、どんな資格がとれますか」という問いが決まって返ってきたのである。

卒業後の進路についてはなるほどと思う。しかし学問内容など二の次で、資格がとれないならば生徒をやる意味などない、とばかりの対応をされる先生には、やはり首をかしげてしまうのである。

こうした経験から、高校の先生、そして高校生に社会学の面白さを伝えたいと思うようになった。もちろん本書が、私の思いを十分実現できているとはいいがたいかもしれない。ただ、ぜひ本書を読み「世の中を質的に調べる」営みから成り立っている社会学という学問が、単に資格をとるためだけの知ではないことを理解してほしいと思う。

それは、私たちが〈ひと〉として、より充実した生を生きていくうえで必要な知であり、さまざまな違いをもつ他者と〝適切に〟関係をもち暮らしていくうえで、どうしたらいいのかを考えるための実践的な処方の知なのである。

もちろん、こうした人々に限らず、一人でも多くの人に、本書を読んでほしい。

日常、暮らしていくうえで、なんともいいがたい「生きづらさ」「生き苦しさ」を感じている私たち。どうしたらそれを解消できるのか、ハウ・ツーを教える本が無数に出版され、書店の棚をしめている。

本書はそうしたハウ・ツー本のように、明快な解決法を伝授するものではない。本書が主張する社会学。それは、常識的なものの見方に絡めとられている私たちを解放しようとする。もちろんそうした営みはイリュージョンの呪文やしぐさのように、簡単で象徴的なものではない。もっと辛気臭く、ゆったりとしたものだ。

まず「あたりまえ」の世界で、さまざまな縛りを受けている「わたし」の姿を見つめる。そして、他者とともに生きる「いま、ここ」で、「生きづらさ」「生き苦しさ」の正体を読み解いた後、それらを一気に否定するのではなく、「生きる手がかり」として、いかにしたら〝活用〟できるのかと発想を転換し、「いま、ここ」での新たな生き方を模索していく。

ある瞬間、これまでの生活を一新するような「生き方」を手に入れることができるかもしれない。そう簡単にはうまくいかないかもしれない。

いずれにしても、「あたりまえ」を常に疑い、「普通であること」に居直らない「ものの見方」が、いかに「わたし」という存在を心地よく変えていってくれるのか。そうした社会学的な見方や営みの可能性があることを知ってほしいと思う。

「世の中を質的に調べる」センス。それは〈ひと〉にまっすぐ向き合い、〈わたし〉がトータルな存在として、〈ひと〉と出会うセンスのことだ。

そして、このセンスに満たされていくとき、読む人の心を動かす力にあふれた社会学的なエスノグラフィーができるのだろう。

大衆演劇へ〝旅〟をして〝自分さがし〟のエスノグラフィーを書いた鵜飼正樹さんは、こう書いている。

「ある技法なり作法なり文法なりにのっとって、データを収集し、整理し、分析してゆきさえすれば、エスノグラフィーに到達できるのだろうか。マニュアルどおりの作業を積み重ねれば、エスノグラフィーはバンバン量産できるものなのだろうか。マクドナルドのハンバーガーみたいに。

たぶんそういうものではない。そういうものであってほしくない、と私は思う。たとえほんの短い間であっても、相手と同じ場を共有し、同じ時間に身をひたし、同じ速度で歩いてゆけるような関係。私がそのような関係を築けたかどうかはわからない。しょせんこっちの思い込みにすぎなかったという可能性は大いにある。しかし、一年二カ月の間、私が常にそ

れを模索し続けていたこと。これだけは、まちがいない」（三四五）
〈ひと〉の生と出会う社会学。それは〝学ぶ〟ものではなく、自分なりに〝生きる〟ものだ。これだけは、まちがいない。

最後に関西シーエスの高木伸浩さんにお礼を言っておきたい。三年ほど前、突然高木さんからメールがきた。当時、私は河合塾で講演したことがあったが、そのときのタイトルが「世の中を調べるということ」だった。高木さんは、このタイトルを見て、できればこのテーマで新書を書いてみないかとメールをくれたのだ。

京都に出かけ、何回か彼と話すうちに、私の中で今回の構想が少しずつできあがっていった。今回はできるだけ自分の思いに正直に書きたいと思った。厳しい編集者として、最初の読者として、こうした自分勝手な原稿執筆の過程を見守っていただいたことに感謝したい。また草稿を丁寧に読まれ、多くの修正のコメントをしていただいた光文社新書編集部の三宅貴久さん、もし少しでも読みやすくなり、私の主張したいことが表現できているとすれば、三宅さんのおかげです。どうもありがとうございました。

二〇〇五年一二月暮れ、息子に読んでもらえるものが書けたかどうか心配しつつ。

好井裕明

参考文献

【はじめに】
新睦人、二〇〇四、『社会学の方法』有斐閣
【第一章】
大谷信介編著、二〇〇二、『これでいいのか市民意識調査――大阪44市町村の実態が語る課題と展望』ミネルヴァ書房
山崎喜比古・瀬戸信一郎編、二〇〇〇、『HIV感染被害者の生存・生活・人生』有信堂
赤川学、二〇〇四、『子どもが減って何が悪いか!』ちくま新書
ジョエル・ベスト（林大訳）、二〇〇二、『統計はこうしてウソをつく――だまされないための統計学入門』白揚社
【第二章】
山田富秋・好井裕明編著、一九九八、『エスノメソドロジーの想像力』せりか書房
好井裕明・桜井厚編著、二〇〇〇、『フィールドワークの経験』せりか書房
好井裕明・山田富秋編著、二〇〇二、『実践のフィールドワーク』せりか書房
好井裕明・三浦耕吉郎編著、二〇〇四、『社会学的フィールドワーク』世界思想社
好井裕明編著、二〇〇五、『繋がりと排除の社会学』明石書店
佐藤郁哉、一九八四、『暴走族のエスノグラフィー――モードの叛乱と文化の呪縛』新曜社

佐藤郁哉、二〇〇二、『フィールドワークの技法――問いを育てる、仮説をきたえる』新曜社
田代順、二〇〇三、『小児がん病棟の子どもたち――医療人類学の視点から』青弓社
菅原和孝、一九九九、『もし、みんながブッシュマンだったら』福音館書店
【第三章】
鵜飼正樹、一九九四、『大衆演劇への旅――南條まさきの一年二カ月』未来社
鵜飼正樹、一九九三、「役者南條まさきと研究者鵜飼正樹のあいだ」『わかりたいあなたのための社会学・入門』別冊宝島一七六
鵜飼正樹、一九九五、「大衆演劇における芸能身体の形成」福島真人編、『身体の構築学』ひつじ書房
【第四章】
福岡安則・好井裕明・桜井厚他編著、一九八七、『被差別の文化・反差別の生きざま』明石書店
桜井厚、二〇〇二、『インタビューの社会学――ライフストーリーの聞き方』せりか書房
桜井厚、二〇〇五、『境界文化のライフストーリー』せりか書房
反差別国際連帯解放研究所しが編、一九九五、『語りのちから――被差別部落の生活史から』弘文堂
桜井厚・岸衛編著、二〇〇一、『屠場文化――語られなかった世界』創土社
桜井厚、一九九八、『生活戦略としての語り――部落からの文化発信』反差別国際連帯解放研究所しが、リリアンス・ブックレット7

蘭由岐子、二〇〇四、『「病いの経験」を聞き取る――ハンセン病者のライフヒストリー』皓星社
赤坂真理、二〇〇一、「『障害』と『壮絶人生』ばかりがなぜ読まれるのか」『中央公論』六月号
好井裕明、一九九三、「識字という力の解読」『研究紀要』社会福祉法人大阪府総合福祉協会
キース・ヴィンセント・風間孝・河口和也、一九九七、『ゲイ・スタディーズ』青土社
橋口亮輔監督、一九九二、『二十才の微熱』（DVD）、PCBP-50530、ポニーキャニオン
橋口亮輔監督、一九九五、『渚のシンドバッド』（DVD）、TDV-2868D、東宝
橋口亮輔監督、二〇〇一、『ハッシュ！』（DVD）、BIBJ-3273、ハピネット・ピクチャーズ
小林多寿子、一九九七、『物語られる「人生」――自分史を書くということ』学陽書房
色川大吉、一九七四、『ある昭和史』中央公論社
色川大吉、一九九二、『自分史――その理念と試み』講談社学術文庫
色川大吉、一九九四、『昭和史世相篇』小学館ライブラリー
ニキ・リンコ・藤家寛子、二〇〇四、『自閉っ子、こういう風にできてます！』花風社

【第六章】
松田素二・川田牧人編著、二〇〇二、『エスノグラフィー・ガイドブック――現代世界を複眼でみる』嵯峨野書院
佐藤郁哉、二〇〇二、『組織と経営について知るための実践フィールドワーク入門』有斐閣
H・ガーフィンケル他（山田富秋・好井裕明・山崎敬一訳）、一九八七、『エスノメソドロジー――

社会学的思考の解体』せりか書房
B・G・グレイザー&A・L・ストラウス(後藤隆・大出春江・水野節夫訳)、一九九六、『データ対話型理論の発見——調査からいかに理論をうみだすか』新曜社
西阪仰、一九九七、『相互行為分析という視点——文化と心の社会学的記述』金子書房
西阪仰、二〇〇一、『心と行為——エスノメソドロジーの視点』岩波書店
串田秀也、一九九七a、「会話のトピックはいかに作られていくか」谷泰編『コミュニケーションの自然誌』新曜社、一七三〜二一二頁
串田秀也、一九九七b、「ユニゾンにおける伝達と交感——会話における『著作権』の記述をめざして」谷泰編、前掲書、二四九〜二九四頁
串田秀也、二〇〇二、「会話の中の『うん』と『そう』——話者性の交渉との関わりで」定延利之編『「うん」と「そう」の言語学』ひつじ書房
山田富秋・好井裕明、一九九一、『排除と差別のエスノメソドロジー——[いま—ここ]の権力作用を解読する』新曜社
好井裕明・山田富秋・西阪仰編著、一九九九、『会話分析への招待』世界思想社
H・サックス、一九八七、「ホットロッダー」H・ガーフィンケル他、『エスノメソドロジー——社会学的思考の解体』せりか書房、一九〜三七頁
好井裕明、一九九九、『批判的エスノメソドロジーの語り——差別の日常を読み解く』新曜社
草柳千早、二〇〇四、『「曖昧な生きづらさ」と社会——クレイム申し立ての社会学』世界思想社

【第七章】
好井裕明、二〇〇二、「障害者を嫌がり、嫌い、恐れるということ」石川准・倉本智明編著『障害学の主張』明石書店、八九～一一八頁
石井政之、二〇〇三、『肉体不平等――ひとはなぜ美しくなりたいのか？』平凡社新書
中村うさぎ・石井政之、二〇〇四、『自分の顔が許せない！』平凡社新書
石井政之、一九九九、『顔面漂流記――アザをもつジャーナリスト』かもがわ出版
石井政之・藤井輝明・松本学編著、二〇〇一、『見つめられる顔――ユニークフェイスの体験』高文研
三浦耕吉郎、二〇〇四、「カテゴリー化の罠――社会学的〈対話〉の場所へ」好井・三浦編著、『社会学的フィールドワーク』世界思想社、二〇一～二四五頁

【ぜひ読んでほしい面白い文献など】
宮本常一、一九八四、『忘れられた日本人』岩波文庫
中野卓、一九七七、『口述の生活史』御茶の水書房
鵜飼正樹、二〇〇〇、『見世物稼業――安田里美一代記』新宿書房
菅原和孝、二〇〇四、『ブッシュマンとして生きる――原野で考えることばと身体』中公新書
佐藤郁哉、一九九九、『現代演劇のフィールドワーク――芸術生産の文化社会学』東京大学出版会
武田尚子、二〇〇二、『マニラへ渡った瀬戸内漁民――移民送出母村の変容』御茶の水書房

蘭信三編、二〇〇〇、『「中国帰国者」の生活世界』行路社
P・ウィリス（熊沢誠・山田潤訳）、一九八五、『ハマータウンの野郎ども――学校への反抗・労働への順応』筑摩書房
W・F・ホワイト（奥田道大・有里典三訳）、二〇〇〇、『ストリート・コーナーソサエティ』有斐閣
北澤毅・片桐隆嗣、二〇〇二、『少年犯罪の社会的構築――「山形マット死事件」迷宮の構図』東洋館出版社
桜井厚・好井裕明編著、二〇〇三、『差別と環境問題の社会学』新曜社
桜井厚・小林多寿子編著、二〇〇五、『ライフストーリー・インタビュー――質的研究入門』せりか書房
安積純子・岡原正幸・尾中文哉・立岩真也、一九九五、『生の技法――家と施設を出て暮らす障害者の社会学』（増補改定版）藤原書店
天田城介、二〇〇三、『〈老い衰えゆくこと〉の社会学』多賀出版
浦河べてるの家、二〇〇二、『べてるの家の「非」援助論――そのままでいいと思えるための25章』医学書院
渡辺一史、二〇〇三、『こんな夜更けにバナナかよ――筋ジス・鹿野靖明とボランティアたち』北海道新聞社
石川准、二〇〇四、『見えないものと見えるもの――社交とアシストの障害学』医学書院

蔦森樹、一九九三、『男でもなく女でもなく――新時代のアンドロジナスたちへ』勁草書房
掛札悠子、一九九二、『「レズビアン」である、ということ』河出書房新社
伏見憲明、二〇〇四、『ゲイという「経験」・増補版』ポット出版
牧口一二、一九九八、『ちがうことこそええこっちゃ』NHK出版
金満里、一九九六、『生きることのはじまり』ちくまプリマーブックス
和田武広、一九九五、『はじけた家族――手記・結婚差別』解放出版社
TAMAYO、一九九四、『コメディ+LOVE――TAMAYO的差別の乗り越え方』解放出版社
栗原彬編、二〇〇〇、『証言水俣病』岩波新書
石田吉明・小西熱子、一九九三、『そして僕らはエイズになった』晩聲社
草伏村生、一九九三、『冬の銀河――エイズと闘うある血友病患者の訴え』(増補版)不知火書房
佐藤真、一九九七、『日常という名の鏡――ドキュメンタリー映画の界隈』凱風社
A・クラインマン(江口重幸・五木田紳・上野豪志訳)、一九九六、『病いの語り――慢性の病いをめぐる臨床人類学』誠信書房
アーサー・W・フランク(鈴木智之訳)、二〇〇二、『傷ついた物語の語り手――身体・病い・倫理』ゆみる出版
J・ホルスタイン&J・グブリアム(山田富秋・兼子一・倉石一郎・矢原隆行訳)、二〇〇四、『アクティヴ・インタビュー――相互行為としての社会調査』せりか書房

J・V・マーネン（森川渉訳）、一九九九、『フィールドワークの物語——エスノグラフィーの文章作法』現代書館
D・ベルトー（小林多寿子訳）、二〇〇三、『ライフストーリー——エスノ社会学的パースペクティブ』ミネルヴァ書房

好井裕明（よしいひろあき）
1956年大阪市生まれ。東京大学大学院社会学研究科博士課程単位取得退学。筑波大学大学院人文社会科学研究科教授、日本大学文理学部社会学科教授等を経て、摂南大学現代社会学部特任教授。京都大学博士（文学）。専攻は、差別の社会学、エスノメソドロジー、映画の社会学。著書、訳書は『フィールドワークの経験』（共編著、せりか書房）、『社会学的フィールドワーク』（共編著、世界思想社）、『批判的エスノメソドロジーの語り』『方法としてのフィールドノート』［共訳］（以上、新曜社）、『繋がりと排除の社会学』（編著、明石書店）などがある。

「あたりまえ」を疑《うたが》う社会学《しゃかいがく》　質的調査《しつてきちょうさ》のセンス

2006年2月20日初版1刷発行
2024年9月30日　12刷発行

著　者 ── 好井裕明
発行者 ── 三宅貴久
装　幀 ── アラン・チャン
印刷所 ── 堀内印刷
製本所 ── ナショナル製本
発行所 ── 株式会社光文社
東京都文京区音羽1-16-6（〒112-8011）
https://www.kobunsha.com/
電　話 ── 編集部03(5395)8289　書籍販売部03(5395)8116
制作部03(5395)8125
メール ── sinsyo@kobunsha.com

　ISBN 978-4-334-03343-9

224 仏像は語る 何のために作られたのか 宮元健次
仏像には、「煩悩」を抱えた人間の壮絶なドラマが込められている。迷い、悩み、苦しみ、弱み、祈り……。共に泣き、共に呻く「魂の叫び」に耳をすます。

225 ニューヨーク美術案内 千住博 野地秩嘉
美術の町・ニューヨークで、野地秩嘉が画家・千住博と一緒に作品を読み解いていく、今までにない最高に贅沢な美術ガイド。この一冊で、美術館がたちまち楽しい場所に変わる。

226 世界最高の日本文学 こんなにすごい小説があった 許光俊
岡本かの子『老妓抄』、森鷗外『牛鍋』、夢野久作『少女地獄』……。心にしみ入る名編から、驚愕と戦慄の怪作まで、あなたの小説観・人生観を根底から変える一二編を徹底解剖。

227 ジャーナリズムとしてのパパラッチ イタリア人の正義感 内田洋子
悪趣味な〈のぞき見〉か、正統な〈時事報道〉か。パパラッチ発祥の国・イタリアで、その裏側に迫る。「報道の自由」と「プライバシー保護」の境界線は？　ジャーナリストの倫理感とは？

228 日仏カップル事情 日本女性はなぜモテる？ 夏目幸子
今日、日仏カップル、とりわけフランス人男性と日本人女性との結婚が増えているが、なぜだろうか。この現象から、現代日本人女性の問題、日本社会の現状、男女関係等を考える。

229 古伝空手の発想 身体で感じ、「身体脳」で生きる 宇城憲治 監修 小林信也
「古伝空手」とは、「戦わずして勝つ」、平和の哲学に根ざす武術である。六百年もの歴史を持つその伝統の教え—「型」—から、真の生き方のヒントを学ぶ。

230 羞恥心はどこへ消えた？ 菅原健介
近年、「ジベタリアン」「人前キス」「車内化粧」など、街中での〝迷惑行動〟が目につくようになった。私たちの社会で何が起こっているのか。「恥」から見えてきたニッポンの今。

238 日中一〇〇年史 二つの近代を問い直す 丸川哲史
日本と中国、この隣り合う国の複雑な関係について、毛沢東、北一輝、魯迅、竹内好など、両国の知識人たちは真剣に悩み、考え抜いてきた。両国の近代史を、彼らの思想でたどる。

239 「学び」で組織は成長する 吉田新一郎
役に立たない研修ばかりやっている組織のために、「こうすれば効率的に学べる」方法を紹介する。企業、NPO、学校、行政などで使える学び方・22例を具体的に解説。

240 踊るマハーバーラタ 愚かで愛しい物語 山際素男
恋あり愛あり性あり欲あり善あり悪あり涙あり笑いあり――。〃ここにあるもの総ては何処にもあり、ここに無いものは何処にもない〃。『世界最大の叙事詩』エッセンス八話を収録。

241 99・9%は仮説 思いこみで判断しないための考え方 竹内薫
飛行機はなぜ飛ぶのか？ 科学では説明できない――科学的に一〇〇%解明されていると思われていることも、実はぜんぶ仮説にすぎなかった！ 世界の見え方が変わる科学入門。

242 漢文の素養 誰が日本文化をつくったのか？ 加藤徹
かつて漢文は政治・外交にも利用された日本人の教養の大動脈だった。古代からの日本をその「漢文」からひもとき、この国のかたちがどのように築かれてきたのかを明らかにする。

243 「あたりまえ」を疑う社会学 質的調査のセンス 好井裕明
社会学における質的調査、特に質的なフィールドワークに不可欠なセンスについて、著者自らの体験や、優れた作品を参照しつつ解説。数字では語れない現実を読み解く方法とは？

244 チョムスキー入門 生成文法の謎を解く 町田健
近年、アメリカ批判など政治的発言で知られるチョムスキーのもう一つの顔、それは言語学に革命をもたらした生成文法の提唱者としての顔である。彼の難解な理論を明快に解説。